G000023160

FITZGERALD

LILIANE KERJAN

FITZGERALD

Le désenchanté

ALBIN MICHEL

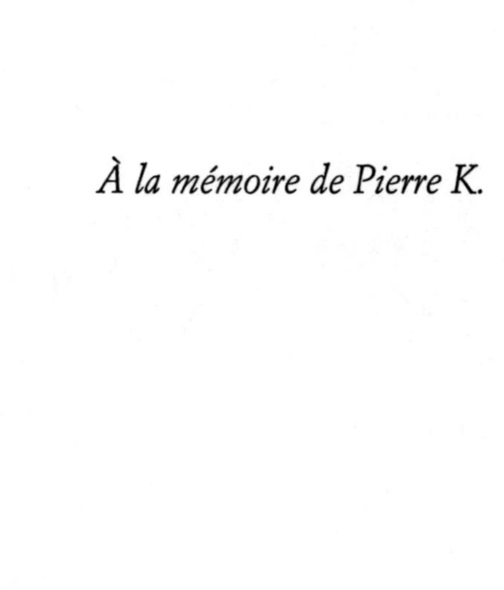

À la mémoire de Pierre K.

Avant de croquer le diamant

Qu'est-ce qui nous fascine tant chez Scott Fitzgerald ? Ses folles fêtes nocturnes ou sa petite musique de nuit ? Les palmiers d'Hollywood, les tapages de New York ou le tapis brûlant de ses plages dorées ? Le gaspillage et la dissipation de sa vie ou le rêve épique des pionniers et des pères qu'il n'a cessé de vénérer ? Est-ce l'émerveillement du provincial du Middle West ou la fêlure de l'Inconstant ? La légende d'un homme qui passe vingt ans de sa vie à s'amuser ou la magie de ses nouvelles ? L'endroit du décor ou l'envers du banquet ? Les deux, bien entendu. Tout à la fois ses costumes trois pièces de dandy et ses vieux pulls de laine irlandaise. La voix d'une génération qui chevauche vers une nuit romantique et son jazz des adieux. La fascination tient-elle à son élégance de baladin ou à la tristesse d'un rêve trahi ? À la splendeur des exilés ou au fragile secret des cœurs ? À son infinie compassion ? À sa détresse ? Les deux, qui saturent son écriture lustrée comme une porcelaine. Car il est des nôtres, tour à tour adulé et oublié, allant de prodigalités en dettes, de mondanités en souffrances solitaires. Il est d'aujourd'hui, fragile, avec ses faux départs et ses échappatoires, son émotion pour déchiffrer le monde, ses blessures : un pauvre, ébloui par les riches, et qui veut sa pépite de gloire, un mercenaire qui laisse des pourboires princiers. Saltimbanque de la littérature, il fait le grand écart, passant du raffinement à la plume vivrière, souriant d'ironie. Écrivain rare, au style de velours et de moire. Couché aux petites heures, il regarde la lune qui auréole ses féeries dans les jardins, la pluie fine qui baigne ses amants impossibles. Ses titres de noblesse, d'emblée, il les inscrit au frontispice de ses romans. Ainsi, heureux et un temps damné, demeure-t-il à jamais Fitzgerald le Magnifique, le Tendre, le Dernier.

L'égotiste romantique

Saint Paul, l'enfance pieuse et romanesque

« Bienvenue, petit étranger » : c'est sous cette légende que le faire-part de la naissance de Francis Scott Key Fitzgerald annonce sa venue au monde avec une bienséance distinguée et un certain mystère, sans préciser ses prénoms, dans le parfum ancien d'un de ces cartons légèrement fleuris dont le dessin de fines branches enserre le paysage du fleuve Mississippi et de sa berge. Le texte est bref, indiquant qu'est né à Saint Paul, dans le Minnesota, le dimanche 24 septembre 1896 à 3 h 30, un fils, au foyer de Mr Edward Fitzgerald, au 481 Laurel Street. Suivent, sur une même ligne, les signatures du médecin, du père et de l'infirmière et, en dessous, bien centrée, celle de la mère, Mary Fitzgerald. L'enfant est donc né dans la capitale de l'État de l'Étoile du Nord, situé sur les terres anciennes des Sioux et des Objibwas, à la confluence de deux fleuves, le Mississippi et le

Minnesota : Saint Paul, une ville frontière, un énorme nœud ferroviaire en pleine prospérité.

1896 : année qui voit naître Dos Passos, mais aussi Buster Keaton et Lilian Gish, trois rencontres futures. Année d'*Ubu Roi* et de la première bande dessinée dans le journal *The World*. Pour l'heure, le faire-part de naissance met l'accent sur la filiation, ses parents en éprouvent une grande fierté, fort légitime car liée aux origines de la branche américaine. Il est vrai que l'ascendance du nouveau-né ne manque pas de panache. Son père, Edward Fitzgerald, vient du Maryland ; il est né en 1853 dans la ferme de Glenmary, près de Rockville, dans le comté de Montgomery et garde une sympathie marquée pour le vieux Sud et ses valeurs. C'est un bel homme distingué, très droit, aux traits fins, à l'allure raffinée, qui porte des vêtements bien coupés et sait faire preuve d'une parfaite courtoisie, peut-être même d'une certaine indolence. Il est fier d'avoir, par sa mère, les Scott et les Key, des ancêtres américains qui remontent au début du XVIIe siècle. Un lointain aïeul paternel, le docteur John Scott, a vacciné cinq cents hommes de la Troupe continentale contre la variole à Chestertown, sans demander un sou. Un grand-père, Philip Barton Key, a été membre du Congrès continental. Il y a aussi le lointain parent, sorte de grand-oncle, Francis Scott Key, dont le nom passera à l'enfant. D'aucuns lui attribuent la paternité du poème « La Bannière étoilée » (*The Star-*

Spangled Banner), écrit pendant le siège de Baltimore par les Anglais en 1814, qui deviendra l'hymne national des États-Unis sur la musique de la chanson populaire *Anacreontic Song*, qui commence ainsi : « À Anacréon au paradis, où il sied en pleine extase, quelques fils de l'harmonie ont envoyé une pétition. »

Influence et prestige sont ainsi les marques du clan.

Du côté maternel s'impose davantage la réussite matérielle, car le grand-père Philip Francis McQuillan, dit P.F., arrivé d'Irlande en 1843 à l'âge de neuf ans, est devenu à Saint Paul un grossiste prospère dans le commerce de l'épicerie autant qu'un pilier de l'Église catholique. Venu du comté de Fermanagh, il a mené à bien des études de comptabilité et s'est fait embaucher à vingt-trois ans par la plus grosse entreprise de Saint Paul. À l'époque, les rues de la ville ne sont pas encore pavées, on y croise des Indiens et les insectes bourdonnent au bord de l'eau. Un an plus tard, McQuillan a quitté Beaupre & Temple pour s'établir à son compte, puis fonde avec quelques actionnaires sa propre compagnie. Le siège social de la société sera transféré au coin de la 3e Rue et de la rue Wabash, dans le plus grand immeuble neuf de la ville que l'on l'appelle familièrement « le bloc McQuillan ». P.F. épouse Louisa Allen en 1860, amasse en vingt ans une fortune, et meurt à quarante-quatre ans de la maladie de Bright. Le jour de ses funérailles, une cinquantaine d'entreprises ferment leurs grilles. Cent voitures à cheval, une foule de notables et d'anonymes, et jusqu'aux pensionnaires de l'orphelinat catholique qui lui doit beaucoup, suivent le cercueil : du jamais vu dans la ville. P.F. laisse, dans une somptueuse demeure avec coupole et décor de coquillages, construite quelques années plus tôt dans le quartier ancien, une veuve et quatre enfants dont l'aînée, Mary, née en 1860, est la future mère de Scott Fitzgerald. Louisa McQuillan donne naissance à un cinquième enfant en 1897, après le décès de son époux. Vêtue de belles soies noires, toujours impeccable, elle se consacre à sa famille et à l'Église et fait régulièrement des voyages en Europe avec ses enfants. Le bruit court qu'elle va saluer le pape. Ces voyages sont menés sans hâte, on s'installe pour quelque temps dans le pays, on apprend la langue, on apprivoise le milieu, on lie connaissance, on achète des objets d'art. Les enfants sont cultivés mais réservés, Mary lit beaucoup. Elle n'est pas très belle malgré ses yeux clairs dont héritera son fils Scott.

Edward Fitzgerald et Mary McQuillan, dite Mollie, se marient le 12 février 1890 à Washington, DC, où les parents ont une résidence, au 1315 N Street. Elle a trente ans, son époux trente-sept, et ils s'embarquent pour une lune de miel en Europe, passant une semaine délicieuse à Nice. Leur fils, Francis Scott, reviendra lui-même plus tard sur ce double héritage, moitié Irlandais, moitié vieille Amérique, car il ne lui échappe pas que la partie irlandaise, celle des McQuillan du Minnesota, qui a l'argent, jette un regard condescendant sur les Fitzgerald, ces lignées du Maryland imbues de leur éducation et de leurs bonnes manières. Les McQuillan sont riches. Certes, ils ont tiré profit de la poussée capitaliste des lendemains de la guerre civile, mais dans les esprits ils demeurent à jamais les descendants des tourbières et de la grande famine de la pomme de terre des années 1850, en Irlande. Mollie, quant à elle, n'appréciera jamais les ambitions littéraires de son fils. Elle va le gâter de manière extravagante, alors que son père lui transmet un idéal chevaleresque qu'il conservera toute sa vie. Le couple offre un mélange instable de fantaisie et de rigueur possessive, si bien que, dès l'enfance, Scott ressent au travers du regard de ses deux familles une sorte de dilemme permanent : celui du maître vu par ses domestiques, du parvenu vu par lui-même.

Mais à Saint Paul, la vie est douce pour le bambin choyé. Sa mère y est née, elle aussi, et a pignon sur rue ; elle vient, au printemps 1896, soit trois mois avant la naissance de son fils, de perdre deux petites filles. L'album de famille consigne, comme il se doit, les premiers faits et gestes de ce bel enfant blond. À sa naissance, qui a lieu lors d'une visite de Mollie à sa mère dans sa belle demeure du 481 Laurel Avenue, Francis Scott Key pèse dix livres et six onces (soit 4,700 kg). Il est baptisé le 6 octobre, puis c'est sa première sortie :

avec sa nurse, Mrs Knowlton, il va au coin de l'Avenue Laurel jusqu'au magasin Lambert. Il sort des langes en mars 1897 pour porter une robe, comme il est d'usage à l'époque, fait une bronchite, prononce son premier mot en juillet, entreprend son premier grand voyage vers l'Est, une expédition à New York en 1898, où sa famille descend à l'hôtel Lennox, et récite sa première prière en janvier 1899. Son premier mot, c'est « Up », comme si, en embuscade, un esprit malicieux avait déjà tracé son rêve d'élévation, son ambition d'aller toujours plus haut, plus loin dans la grandeur, dans la richesse et dans la gloire.

Scott grandit, il porte un costume marin, avec un large béret, et il raconte aux grandes personnes venues à son anniversaire qu'il possède un vrai yacht, à ses voisins qu'il a été déposé sur les marches de la maison enveloppé dans une couverture avec un petit mot épinglé, signé d'un nom qui fleure la royauté : Stuart. Enfantillage, certes, mais qui en dit long sur ses aspirations à vivre en petit Lord Fauntleroy et de manière chevaleresque. Il se démarque, il ne veut pas mourir comme ses deux petites sœurs, sa mère le protège à outrance, le couvre, elle craint toujours pour sa santé, d'autant plus qu'il y a des antécédents de tuberculose dans la famille. C'est un enfant très blond, avec une courte frange ou une raie de côté, bien campé dans ses bottines. Sur une photo, tout vêtu de blanc, une petite cravache à la main, on le voit poser près de son grand cheval pommelé à roulettes.

À l'époque, le Minnesota, ce petit doigt de terre qui égratigne le territoire du Canada, connaît la prospérité avec le fer au nord, les prairies et les cultures au sud, sur une terre mollement ondulée. C'est le pays des Indiens Chippewas qui jadis se nourrissaient de gibier et de pêche, d'airelles et de myrtilles, et aussi des Scandinaves qui ont apporté leurs « maisons de bain » et leur savoir-faire agricole en terre froide. Les Allemands, les Irlandais y sont venus en nombre. L'hiver, les dix mille petits lacs de l'État y gèlent sur une profondeur de deux à trois pieds, soit un mètre les semaines de grand froid. Saint Paul, appelé « L'œil du Cochon » jusqu'en 1849 où elle se place sous la protection du saint patron, fait face à Minneapolis, la puritaine, la luthérienne, sur l'autre rive du Mississippi. Elle assoit son commerce sur le marché de la viande et du poisson, sur les brasseries et les récoltes ; les fourrures et la farine ont, depuis les origines, rempli le ventre de ses bateaux sur les fleuves. À l'époque de la naissance de Scott, il règne un espoir, une foi que peu de nations ont connus, car tout s'accélère en Amérique : on invente la grande presse, l'avion, le ragtime et bientôt le cinéma. Le grand-père McQuillan a tiré un excellent parti des ressources locales et tout laisse à penser que son petit-fils aura une belle part de gâteau aux myrtilles, le plat national de l'État de l'Étoile du Nord.

Pourtant, Edward, son père, avec son élégance et sa courtoisie propres aux sudistes, ne réussit pas dans les affaires et tente en vain de lancer une production de meubles en rotin à Saint Paul, The American Rattan & Willow Works, mais sa tentative s'inscrit au milieu d'une crise financière et de l'agitation industrieuse du Midwest, très éloignée de son tempérament. Faute de succès, il doit partir, si bien que la famille déménage pour s'implanter au nord de l'État de New York, où Edward travaille comme représentant de commerce pour Procter & Gamble. En avril 1898, la famille déménage de nouveau, à Buffalo cette fois, où elle vient habiter à l'angle de Summer Street et Elwood Avenue. Une période endeuillée par le décès, en janvier 1900, d'une troisième petite fille, un bébé que l'on présente à Scott et qui ne vivra qu'une heure. Mollie, sa mère, s'inquiète alors beaucoup d'une toux persistante du jeune Scott qui se transforme en oreillons. En mars, on l'amène à l'école maternelle, il pleure et crie tellement qu'on le raccompagne chez lui. La vie à Buffalo connaît des rituels familiaux : ainsi, chaque dimanche matin, il va faire une promenade avec son père. Tous deux « tirés à quatre épingles », très beaux et fiers, et qui finissent toujours par s'arrêter au petit kiosque du cireur de chaussures, ce qui réjouit particulièrement l'enfant. Pendant ce début de siècle, Saint Paul s'étoffe. On construit des bâtiments grandioses, dont la cour de justice fédérale, copie de la basilique Saint-Pierre de Rome avec un immense dôme de marbre et une décoration somptueuse, et la Grande Poste qui dessert tout le Midwest du Nord. Saint Paul affiche pompeusement sa réussite. Mais la famille déménage une nouvelle fois et s'installe à Syracuse, une ville plus modeste, en janvier 1901. C'est là que naîtra sa sœur Annabel, au mois de juillet. En septembre 1902, Scott entre à l'école de Miss Goodyear. À la rentrée suivante, on lui offre un chien, un épagneul noir qu'il appelle Beautiful Joe, et sa première bicyclette, une bicyclette de fille. Cette fois, l'école lui plaît, il aime les exercices d'écriture, les lettres, les pleins et les déliés, les attachés, si bien que dès l'âge de cinq ans, il va consigner une fois par an sa signature dans un calepin, à la page des autographes, habitude qu'il n'abandonnera qu'à l'âge de vingt et un ans.

Le monde bouge : Sigmund Freud a proposé son explication des rêves, Planck sa théorie des quanta, les premiers films parlants ont été projetés à l'Exposition universelle de Paris en 1900, et Theodore Roosevelt a été élu à la présidence des États-Unis. Les Fitzgerald reviennent à Buffalo en septembre 1903 et la famille s'installe au 29 Irving Place, un bel endroit protégé, bordé d'arbres où les gamins du voisinage jouent dans la rue. On inscrit Scott à l'école catholique du couvent des

Saints-Anges. Le dimanche, il est subjugué à l'église du couvent par les prêches du père Fallon. Son grand copain est Ted Keating qui habite la maison voisine, si bien que les deux gamins accrochent une ficelle à leur gros orteil pour tirer à qui réveillera l'autre le lendemain matin. Il invente des jeux : « le mouchoir blanc », « les Indiens », avec les maillets de croquet, « le service secret ». Scott se lie aussi d'amitié avec le jeune Hamilton Wende et ensemble, le samedi après-midi, ils vont au spectacle donné en matinée au théâtre Teck, car Hamilton a régulièrement deux places gratuites offertes par un ami de ses parents. Au retour, les deux compères enfilent accessoires et chapeaux, dégainent les épées, installent un drap comme rideau de scène et rejouent toute la pièce devant un parterre d'enfants du quartier qui doivent payer leur entrée. Chacun s'y retrouve, les deux petits comédiens s'entendent à merveille. Scott, pour sa part, est servi par une mémoire prodigieuse et il ne manque pas d'imagination pour les costumes : une taie d'oreiller bien bourrée, agrémentée des foulards de sa mère, a tôt fait de le transformer en prince turc ou en pirate. À l'époque, le sport ne l'intéresse pas, il préfère la bibliothèque, au risque de passer pour efféminé. Il est bientôt inscrit à l'école de danse où les jeunes danseurs portent jabot et nœud papillon blancs les jours de gala, où l'on apprivoise la mise et la prestance, deux atouts qui bientôt feront de lui un dandy recherché. Un homme délicat aussi, car au cours de danse de Mr Van Arnum, les garçons doivent garder un mouchoir blanc dans la main droite de manière à ne pas marquer le dos de la robe de leur partenaire. On apprend le maintien élégant et, bien sûr, la révérence. Tous les garçons sont habillés de bleu. Edward, son père, qui juge cette couleur trop ordinaire, demande à son fils de s'habiller en noir.

Septembre 1905 : encore une nouvelle adresse, le 71 Highland Avenue, car Mollie est toujours en quête d'un meilleur quartier, d'une plus belle maison – et celle-ci possède une tourelle. En mère attentive, Mollie « veille au grain », déterminée à ce que ses deux enfants ne pâtissent pas de la faillite de leur père, et reste, l'on s'en doute, très marquée par les décès des trois petites. Son fils compte plus que tout, elle ne cesse de l'exhiber, ce fils qui avec sa fine ossature, son beau visage est un bien joli garçon. Scott se lie facilement avec ses nouveaux voisins, sa mère continue de l'habiller avec recherche, il a déjà une collection de nœuds papillon de soie bleue pour aller avec ses cols Eton et ses costumes bien coupés. Enfant modèle, il fait cependant une fugue le 4 juillet 1906, jour de la fête nationale, et passe la journée dans un verger de poiriers avec un autre gamin. La police est informée de sa disparition, et, au retour, son père lui donne une fessée mémorable, si bien que c'est le postérieur en feu qu'il regarde du balcon les fusées du feu d'artifice. À l'aube de ce XXe siècle, on parle des premières photographies en couleur des frères Lumière, des premières machines à sous Nickel-Odéon et bientôt du premier dessin animé. À l'occasion, Scott surveille malicieusement le manège des soupirants de ses voisines d'en face, les sœurs Powell. Se mêlant à eux sous le porche, il surprend déjà le petit cercle par la sûreté de son jugement et la richesse de son vocabulaire. On aime ce bel enfant à la jolie silhouette, aux cheveux blonds séparés par une raie au milieu, aux grands yeux clairs très lumineux.

Scott fréquente désormais l'Académie de Miss Nardin, une école catholique et, s'il joue toujours aux soldats de plomb, il a déjà une aimable vie mondaine. Ainsi, en janvier 1907, il se rend à un bal de charité avec sa petite liste de partenaires à inviter ; pour les valses il y a, dans l'ordre, Isabel Williams, Kitty Williams, Honey Chattendon, Edna Steele. Helen Ongham lui plaît : il l'invitera à deux reprises. Après le bal, une fête est donnée au Country Club, où sa mère l'encourage à chanter. Par deux fois, il pousse la mélodie. À la maison, il s'intéresse à George Washington, commence une histoire des États-Unis, invente une intrigue policière à partir d'un collier disparu. Pour la Saint-Valentin de 1907, c'est Kitty Williams qui lui envoie une carte d'amoureuse ; en octobre, il invite la belle à ouvrir avec lui le cortège d'apparat de l'école de danse. Suivra la grande fête de la piscine du Country Club. Scott Fitzgerald, le galant, le charmeur, le danseur mondain fait ses gammes tandis qu'à Broadway triomphent les *Ziegfeld Follies*, immense spectacle de cabaret, avec ses légions de danseuses, qui le fascineront quelques années plus tard. Mais pour l'instant, il apprend avec délectation les rudiments des sauteries et des fêtes.

Telle est la vie à Buffalo. Avec, au fil de l'année : les excursions dans les campagnes de l'Est, les chutes du Niagara, et, bien sûr, les allers et retours vers Saint Paul, toujours plus prospère grâce à l'installation de la compagnie 3M – The Minnesota Mining and Manufacturing Company – en 1906. Pour garder le contact avec ses amis, mais aussi avec ses parents quand il est séparé d'eux, Scott Fitzgerald devient un épistolier infatigable. Il adore écrire des lettres de situation, toujours concrètes, en prise avec la réalité quotidienne. De la colonie de vacances de Camp Chatham à Orillia, dans l'Ontario, où il pêche et lit *Ivanhoe*, il se lance : en juillet 1907, il envoie un message pour remercier son père qui l'a abonné au magazine pour enfants *Saint Nicholas,* dont il vient de recevoir la première livraison. En dépit de sa brièveté, la lettre ne manque pas d'intérêt. Un ton déférent, il déclare être vraiment très reconnaissant et signe non de son prénom mais par une formule quelque peu emphatique : « Votre fils bien-aimé Scott Fitzgerald ». Il écrit aussi à sa mère, pour lui demander un dollar, puis cinq dollars, car il n'a plus d'argent. En promettant de dépenser avec discernement, il lui fait remarquer que les autres garçons reçoivent de l'argent de poche en plus d'une allocation régulière. Voilà qui est dit et il joint la photo d'une course avec son camarade Tom Penney, fier de signaler qu'il a gagné le second prix, un couteau. La colonie de vacances terminée, il revient à Saint Paul chez sa grand-mère, avec sa mère qui retrouve avec plaisir ses amies pour des parties de tennis et des promenades. On bavarde, Scott prend alors des leçons de français. Ainsi s'écoule le temps de l'insouciance.

Edward Fitzgerald est mis à pied en 1908, après une période de lent flottement durant laquelle il s'est mis à boire. Scott est à la maison auprès de sa mère lorsque sonne le téléphone. Il pressent un désastre et rend immédiatement la pièce de monnaie qu'il vient d'avoir pour aller à la piscine, puis se met à prier : « Dieu, ne nous laisse pas partir à l'hospice ! Pas à l'hospice ! » Le soir, le père rentre à la maison, vieilli, brisé pour le reste de sa vie et Scott, son fils, en reste profondément marqué. La fêlure, l'échec, l'alcool, l'argent, tous les grands thèmes fitzgeraldiens sont là en germe. Les enfants ont alors douze et sept ans. À la fin de l'année scolaire, c'est le retour peu glorieux à Saint Paul où l'héritage de Mollie va tout de même leur permettre de vivre confortablement.

Bien plus tard, Fitzgerald reviendra sur les débuts de sa génération, alors qu'il portait ses premiers cols à la

Buster Keaton : « Nous sommes nés pour la plupart chez nous, à la lueur du gaz, dans les villes, ou sous des lampes à pétrole, à la campagne. En geignant et en rotant de manière peu scientifique dans les bras de nos nurses, nous n'étions pas conscients d'être les Grands Héritiers – pas conscients du fait que, au moment où nous nous emparions des restes de l'Empire espagnol effondré, la robe de primatie était passée sur nos petites épaules... Nous sommes nés avec la puissance et le nationalisme extrême[1]. » Cette conscience d'un immense potentiel va orienter toute sa vie ; le même espoir, la même foi dans la nation, si forts dans la première décennie, guideront aussi Hemingway, né en 1899 : c'est une génération solide qui va se mettre au travail. George Gershwin va jouer ses airs au piano sur les bords de Broadway, Hemingway écrire ses reportages, Fitzgerald ses fictions de l'âge du jazz. Tout se met en place, des premières actualités filmées par Pathé à la naissance d'Hollywood, pour s'inscrire dans l'histoire de l'Amérique, pour forger une génération singulière, ardente par héritage.

Saint Paul, dans ces années de début de siècle, s'est encore développé. Elle a désormais sa faculté de droit, des établissements d'enseignement supérieur, Concordia, le campus de Sainte-Catherine, sous le patronage de

---

1. *Un livre à soi*, Les Belles Lettres, trad. Pierre Guglielmina, 2011, p. 305-307.

sainte Catherine d'Alexandrie. La ville est fière de son carnaval d'hiver avec son roi Boréas, ses défilés et ses sculptures de neige, son château de glace, le scintillement givré des huit lacs qui lui ont valu le surnom de « l'autre Sibérie ». On y prospère, on s'y amuse.

Premiers écrits à l'Académie et au Club dramatique

La famille habite désormais, dans un premier temps du moins, chez la grand-mère McQuillan qui finit, au bout d'un an, par leur laisser la maison du 593 Summit Avenue. C'est un joli boulevard planté d'arbres dans un quartier résidentiel, de plus en plus huppé à mesure que l'on se dirige vers l'ouest et la prairie. Aujourd'hui, une plaque rappelle au passant que la maison de Fitzgerald fait partie des demeures historiques nationales depuis 1972. Scott s'adapte vite ; un mois après son arrivée, les petites filles n'ont d'yeux que pour lui. Sa favorite est Violet Stockton, très jolie avec sa chevelure brune et ses grands yeux pleins de douceur. Dès l'été, à douze ans, il est capitaine de l'équipe de football du quartier de Summit, car ses parents entendent qu'il cultive son corps et son esprit. En septembre 1908, on l'inscrit à l'Académie de Saint Paul. En même temps, il intègre l'équipe de football de l'Académie, Central High, ce qui lui vaut de se casser une côte en plein match. Ces trois années – l'équivalent de notre collège – se déroulent au mieux, il lit beaucoup et commence à écrire. Au début des grandes vacances de 1909, le 30 juillet, alors qu'il est en colonie de vacances dans l'Ontario, son père lui adresse un courrier de Frontenac, dans le Minnesota :

> « Mon cher Scott,
> Bien reçu ta lettre du 29 juillet. Heureux de savoir que tout se passe bien. Maman et Annabel vont très bien et se plaisent à Duluth. Je te joins un dollar. Dépense-le avec libéralité, générosité, prudence, discernement et intelligence. Qu'il te donne plaisir, sagesse, santé et expérience[1]. »

En somme, un dollar qui mérite réflexion ! L'argent, les dépenses tiendront toujours une place importante chez les Fitzgerald père et fils. Ils sont proches et, bien plus tard, Scott confiera : « J'aimais mon père, très profondément, inconsciemment mes jugements se référaient à lui, je me demandais ce qu'il aurait pensé, ce qu'il aurait fait[2]. » La rentrée des classes devient pour Scott une rentrée littéraire car son premier texte, écrit pendant l'été, est publié en octobre 1909 dans le journal de l'école *The Saint Paul Academy Now and Then,* alors qu'il a treize

1. Matthew Bruccoli, *A Life in Letters, F. Scott Fitzgerald*, New York, Scribner, 1944, p. 13.
2. *Afternoon of an Author*, introduction et notes par Arthur Mizener.

ans. Il s'agit d'une histoire policière, « The Mystery of the Raymond Mortgage », un mystère autour d'une hypothèque. Ce succès en début de saison lui donne d'emblée une place à part, une aura qui sied au bel adolescent, tiré à quatre épingles. Scott lit beaucoup, ses préférences vont à Edgar Allan Poe, en particulier *Le Corbeau*, ainsi qu'à Lord Byron, le poète, mais il ne déteste pas non plus les récits historiques. L'enfant a beaucoup d'énergie, de l'allant, une curiosité sans cesse en éveil.

En hiver, Scott adore les parcours et les glissades en luge avec ses petites amies. À la belle saison, il fait du patin à roulettes et de la bicyclette le long de Summit Avenue, des parties de cache-cache dans les parcelles boisées. Il est plein d'idées, très populaire car on ne s'ennuie jamais avec lui. Il fait des farces au téléphone, se rend aux matinées du théâtre de l'Orpheum avec Sam Surgis, avec qui il resquille dans le bus, en mettant toujours les rieurs de son côté. Le professeur Baker donne ses cours de danse dans la salle chic de Ramaley Hall où les enfants les plus riches arrivent en limousine, avec écusson et monogramme sur la portière du chauffeur en livrée armoriée. Scott est invité partout, même dans des familles qui ne fréquentent pas ses parents dont, parfois, d'ailleurs, il n'est pas vraiment fier. On se moque facilement de sa mère, une « sorcière mal fagotée », on raille son père qui boit plus qu'il n'est raisonnable et qui ne travaille pas. Clairement, le fils est l'étendard de la tribu. Edward son père, très élégant, porte l'habit le dimanche, une canne et des gants gris ; quant à Mollie, elle n'est pas très en cour mais préfère accrocher au mur de la chambre de son fils des maximes telles que « Le Monde jugera ta Mère à travers toi ». Dressé dans le culte de l'excellence, Scott se doit de devenir le point de mire de la société et de connaître une ascension sociale conséquente.

À quatorze ans, il entame sa troisième et dernière année à l'Académie de Saint Paul. D'août 1910 à février 1911, il tient un journal de bord, son « Ledger », registre où il consigne en une phrase ses préoccupations. Il y note qu'il a des activités intenses et qu'il est dévoré de l'envie d'écrire. Il ouvre aussi un « Livre de pensées », comme il l'intitule avec un grand sérieux, mais qui ne rassemble en fait que des impressions fugaces et légères sur une vingtaine de pages et qu'il cache soigneusement sous son lit. Y tiennent la plus grande place les jeux collectifs, le croquet et les jeunes filles, Kitty, Margaret, Violet et les autres : qui est la plus jolie ? Qui parle le mieux ? Telle est la question. Premiers baisers – « Baiser ! Rose trémière au jardin des caresses » – disait Verlaine. Il ne peut dire combien de fois il a embrassé Kitty Williams au cours de la fête chez son ami Robin. À l'évidence, Scott Fitzgerald, même si certains le jugent légèrement efféminé, a du succès. Et il s'amuse : « Je m'étais mis à écrire sans arrêt pendant chaque cours à l'école, sur la couverture de mes livres de géographie et de première année de latin, dans les marges des thèmes et des déclinaisons et des problèmes de mathématiques. Deux ans plus tard, un conseil de famille avait décidé de m'envoyer en pension parce que ce serait le seul moyen de me contraindre à étudier[1]. »

Fin de l'épisode heureux de la scolarité dans son quartier. Aujourd'hui, une statue de Scott accueille visiteurs et élèves à l'entrée de l'Académie et l'on peut lire sur la plaque : « Le jeune F. Scott Fitzgerald par Aaron Dysart, 2006. F. Scott Fitzgerald fréquenta cette école de St Paul Academy de 1908 à 1911 où il publia ses premières nouvelles dans la revue de l'école *Now and Then* et ébaucha ses premières pièces. » Il s'agit d'une statue grandeur nature d'un garçon vêtu d'une veste courte boutonnée sur une chemise à haut col dur et sur une cravate à large nœud. Il porte un pantalon court et pose sa main gauche sur des livres empilés sur ses genoux tandis que sa main droite à plat, derrière, lui assure l'équilibre et une pose juvénile détendue. Assis sur un muret de pierres claires, à droite de la porte principale de l'Académie, il se présente de profil pour l'arrivant qui monte les six marches de pierre qui mènent au perron. De telle sorte qu'il est toujours présent auprès des condisciples de son quartier et de son

1. *Un livre à soi*, *op. cit.*, p. 1.

âge. Le jeune Scott fait aujourd'hui la fierté de la ville de Saint Paul et en est devenu une figure tutélaire.

Mais dans sa vie réelle, le temps est venu de quitter l'univers très protégé de Saint Paul, et, bien entendu, il faut partir à l'est. Scott a quinze ans, mesure cinq pieds quatre pouces, soit un mètre soixante, et arrive d'abord à New York, en gare de Penn Station ; puis, quarante minutes plus tard, à l'école catholique romaine Newman, à Hackensack, dans le New Jersey, pour la rentrée de septembre 1911. Une école réputée, sur le modèle de la célèbre école de l'Oratoire fondée en Angleterre en 1859. Deux personnalités vont contribuer à sa formation et surtout à sa réflexion, en premier lieu le père Sigourney Webster Fay, son confesseur et le directeur de l'école, qui deviendra Mgr Fay et servira de modèle au personnage de Mgr Darcy dans *L'Envers du paradis.* Il faut aussi compter avec Shane Leslie, auteur anglo-irlandais en résidence avec qui il entretiendra une correspondance lors de ses débuts d'écrivain et qu'il retrouvera plus tard au cours de ses voyages. La vie est rude, en dortoir, pour les soixante pensionnaires issus de familles aisées de tout le pays ; il y a même quelques protestants, et l'assistance à la messe n'est pas obligatoire sauf les jours saints. Une auguste bâtisse centrale, couverte de lierre, des maisonnettes éparpillées dans un parc, de magnifiques installations sportives dont un gymnase, des courts de tennis, ainsi que des terrains de football, de baseball et de hockey, en bordure des marais font le charme de ce lieu ouvert aux chahuts et aux tumultes adolescents. Scott Fitzgerald passe un mauvais premier trimestre, battu à la boxe, mauvais au baseball, c'est plus qu'il n'en faut pour qu'on se détourne de lui, il est souvent puni pour des broutilles, il a des notes médiocres, bref, il vit dans l'humiliation et la solitude. Il compense ses maladresses sur le terrain en écrivant un poème de trente-six vers à la gloire du football, sitôt publié dans le journal de l'école, qui lui vaut, enfin, la considération de ses pairs. Mais l'année est éclairée par quelques sorties mémorables. D'abord le traditionnel derby Princeton-Harvard où la performance d'un étudiant de Princeton, un certain Sam White, dont il consigne le nom dans son album, lui fait décider sur-le-champ que c'est là qu'il veut faire ses études, comme il l'écrit sur son billet d'entrée pour aider sa mémoire. Ensuite des comédies musicales sur Broadway, une passion naissante qui lui fait empiler sur son bureau les livrets de Gilbert et Sullivan, ainsi que des douzaines de carnets où il griffonne les prémices d'œuvres de son invention. Autrement, il n'a qu'une envie, rentrer à la maison pour Noël. Ses parents habitent désormais au 499 Holly Avenue. Il retrouve avec bonheur son Middle West, ses amis, la neige, les jeunes filles dans leurs fourrures, la glisse et les luges.

Football toujours : en fin de première année, lors du derby annuel qui oppose les écoles de Newman et de

Kingsley, il remplace, en fin de seconde mi-temps, le capitaine qui s'est luxé l'épaule, et après une belle remontée de terrain, fait une passe décisive à Donahoe qui marque le but de la victoire. Le voilà enfin accepté et ses talents sportifs reconnus ! De retour à Newman, ses affaires vont mieux, il se fait un ami du pilier de la classe qui apprécie la tournure d'esprit de Fitzgerald, ses lectures, ses connaissances hors des sentiers battus ; de plus, ce Sap Donahoe est un garçon du Middle West comme lui. Bientôt, il gagne un trophée sportif, et devient le meilleur en histoire ancienne. Il découvre aussi qu'il n'est pas le centre du monde et des attentions, et qu'il faut savoir compter avec de solides concurrents. À l'étude, il rédige les compositions anglaises hebdomadaires de quelques paresseux – avec pour chacun son style, pour chacun ses thèmes d'inspiration –, ce qui épate son monde. S'il s'isole de temps à autre, il en tire alors le meilleur parti, il écrit, et ses textes sont publiés à trois reprises dans le magazine *Newman News.* Soumis à rude épreuve sur les terrains de sport, il va trouver un équilibre grâce au rapport authentique qui se noue avec le père Fay. Quasi-albinos au visage poupin et aux cheveux très fins, dont le léger embonpoint trahit son intérêt pour la bonne chère, c'est un personnage considérable. Cet intellectuel converti vient d'une vieille famille de Philadelphie, il a de l'humour, et célèbre à l'occasion la messe en grec. Qui plus est, ils ont l'un comme l'autre des ancêtres irlandais et il sait mettre

Fitzgerald à l'aise. C'est tant mieux, car si Scott est apprécié d'un certain nombre de ses condisciples qui admirent son aisance à trousser une épigramme, une strophe ou de courtes satires, sans compter son habileté au pastiche de même que ses talents d'imitateur, il est moins populaire parmi les grosses brutes bien vigoureuses que sa courtoisie et ses bonnes manières agacent carrément. Au reste, il joue le rôle du roi dans une courte pièce en lever de rideau pour le Newman Comedy Club, magnifique, vêtu de blanc et d'or, devant un public conquis

Indépendamment des programmes de lectures assignées, Scott lit tout ce qu'il trouve à la bibliothèque, la littérature anglaise, Kipling, Chesterton, Tennyson, négligeant ses cours et peu soucieux de ses notes.

À la distribution des prix, il reçoit ceux d'éloquence et de diction. Cette année marque la fin de sa scolarité à Newman, où il a joué et fumé. Scott part alors à New York passer l'examen d'entrée pour l'université de Princeton. Pourquoi Princeton ? Il nous l'explique : « Vers la fin de ma première année de pension, je suis tombé sur la partition d'une nouvelle comédie musicale abandonnée sur un piano. C'était un spectacle intitulé *Son Altesse le Sultan*, et sous le titre figurait l'information que le Triangle Club de l'université de Princeton l'avait monté. Il n'en fallait pas plus. La question du choix de l'université était réglée pour moi. J'étais en route pour Princeton[1]. »

Au retour à Saint Paul pour les grandes vacances, il se met à écrire une pièce de théâtre, *The Coward,* destinée au Club dramatique élisabéthain, comme il l'a déjà fait les deux étés précédents, sous le patronage de Miss Elizabeth Magoffin. Il a déjà connu le succès grâce à *The Capture Shadow* autour du personnage d'Arsène Lupin, une de ses lectures favorites ; le « gentleman cambrioleur » appartient pour l'occasion à la meilleure société new-yorkaise et s'avère l'un des plus subtils cerveaux de Scotland Yard, flanqué d'un policier irlandais, d'un gendarme très malin, d'un ivrogne pittoresque et d'une gouvernante drolatique, célibataire, comme il se doit. Du cousu main. Cette fois, il puise son inspiration dans la guerre de Sécession, développant le thème de la rédemption par la bravoure et s'enhardit à mettre sur scène une large distribution pour contenter son monde, pas moins de dix-sept personnages. L'action se passe en Virginie de 1862 à 1865. Scott se mêle de mise en scène mais surtout il se révèle ici un excellent imprésario. Les affiches annoncent le spectacle pour le 29 août 1913, au prix de 25 cents, qui iront à une œuvre de charité. Le nom de Scott Fitzgerald figurera sur toutes les affiches, les articles se multiplient dans la presse, et chacun

1. *Ibid.*

s'émerveille de la jeunesse des interprètes et de l'auteur. On joue à guichets fermés et il faut prévoir une seconde représentation qui sera donnée au Club de voile de l'Ours blanc dont Scott vient de devenir membre. C'est donc un triomphe, un « grand événement », comme il le qualifie dans son journal. 1913, année faste : Apollinaire publie *Alcools*, Proust *À la recherche du temps perdu* et Maïakovski *Théâtre, Cinéma, Futurisme*

En contrepoint des émoustillements de la scène, il n'empêche, il doit travailler pour les épreuves de rattrapage pour l'entrée à Princeton durant le mois d'août. En vain, il échoue à ses examens. Mais, peu importe, il constitue un dossier pour la commission d'appel et plaide son cas oralement, avec conviction et talent, avec ingénuité aussi lorsqu'il avance que c'est bientôt son anniversaire, dix-sept ans, et qu'il a les poches vides. Séduit, le jury le repêche et l'inscrit. Le 24 septembre, il envoie un télégramme de Western Union à sa mère : « ADMIS. ENVOIE S.T.P. ÉPAULETTES ET CHAUSSURES DE FOOTBALL IMMÉDIATEMENT[1]. »

1. Scott Fitzgerald, in Andrew Turnbull, *Scott Fitzgerald*, Pelican, p. 51.

Princetoniens en goguette

Commence alors sa vie d'étudiant, de 1913 à 1917. D'emblée, Scott Fitzgerald s'attache à Princeton, posé sur les terres plates du New Jersey. Les villes avoisinantes, comme Trenton, sont bien laides mais l'université est entourée de vastes étendues peuplées de daims et de paons et de grands domaines agricoles. Ce que Scott aime à Princeton, c'est la patine des lieux, le lierre sur les vieux édifices, les passages sous les arches de l'architecture gothique, les pelouses luxuriantes et, par-dessus tout, les flèches des deux clochers et les gargouilles.

À Princeton se croisent les héritiers et les fils des familles influentes. Ils ont pour nom Rockefeller, Gould, Harriman, Morgan, Frick, Firestone ou DuPont. L'argent des fortunes dynastiques est là, l'argent qui achète les voitures de sport, qui donne des fêtes, qui permet les virées à New York ; l'argent qui va obséder Scott tout au long de sa vie. Face à cette jeunesse dorée, Fitzgerald, lui, est soutenu financièrement par sa mère et une tante célibataire. La vie du Middle West, le prestige local de la famille sont soudain très loin, il faut se construire seul et pauvre.

Dès septembre 1913, il vit une première déception vite oubliée : il est écarté au bout d'une semaine de l'équipe de football. Le rêve sportif s'envole mais Scott met cet échec cuisant sur le compte de ses mensurations insuffisantes – un mètre soixante-dix et 62,500 kg. Mais dès la rentrée, il a d'autres priorités : il lui faut d'abord s'accommoder de ses nouvelles règles de vie. Ainsi, il doit porter un pantalon sans revers, des cols durs et une cravate noire, et respecter le couvre-feu imposé aux jeunes entrants à partir de neuf heures du soir. Le bizutage l'amuse, il s'enchante de tout, observe, fait son miel de mille détails de comportement. Il habite avec neuf autres nouveaux au 15, University Place, une maison plaisamment surnommée La Morgue. L'ami Sap Donahoe est là aussi avec quelques anciens élèves de Newman. Ils se répartissent les chambres en gardant la fenêtre du salon au premier étage comme poste d'observation collectif de leur maisonnée. Scott habite au dernier étage, il est plein d'énergie, beau garçon, il a les cheveux bien blonds, reprend la raie au milieu abandonnée à Newman pour une raie de côté, bref, il est « frais comme une jonquille » au dire de ses camarades. Son teint clair, ses yeux bleus, son costume de tweed gris-vert lui donnent belle allure.

L'alcool est interdit sur le campus, alors il prend un whisky avec Donahoe lorsqu'ils sortent à New York. C'est l'époque où les parents promettent une montre en or à leur fils s'il s'abstient de boire jusqu'à vingt-deux ans : la tempérance est de mise. Ce qui l'intéresse aussitôt c'est *Le Tigre* (*The Princeton Tiger*), petite revue estudiantine à laquelle il va soumettre sans relâche de brefs articles dès l'instant où sa première contribution, anonyme, est acceptée dans le numéro de rentrée. Il vise aussi *Le Triangle*, organe étudiant qui a une parution spécialisée dans les chansons, les airs d'opérettes et de comédies musicales, mais en vain, car il est nouveau et les espaces sont quasiment réservés à des noms de paroliers déjà bien connus sur le campus. Si bien qu'il opte pour une tactique de contournement pour se faire connaître et accepter : il assiste aux répétitions des pièces et se rend indispensable aux éclairages. En rentrant chez lui, il écrit très tard dans la nuit et le lendemain somnole pendant les cours. Pour faire bonne mesure, il lorgne déjà vers le magazine littéraire de l'université, *The Nassau Literary Magazine*, qui le publiera en avril 1915. Par ailleurs, il se mêle avec jubilation aux foules colorées des matchs de football, fredonne les chansons du campus, entendues ici et là, capte les conversations aux abords de Nassau Hall, se lie avec le veilleur de nuit qu'il accompagne dans ses rondes, toujours sur le qui-vive. Mais c'est bientôt Noël et le retour à la maison qui lui inspirera un passage de *Gatsby le Magnifique :*

> « Un de mes souvenirs les plus vivants est celui de mon retour dans l'Ouest au sortir du collège et plus

tard de l'université aux vacances de Noël. Ceux qui allaient plus loin que Chicago se rassemblaient dans l'obscure gare de l'Union à six heures, un soir de décembre, avec quelques amis de Chicago déjà pris par leurs gaietés de fête, pour leur dire un adieu rapide. Je me souviens des fourrures des jeunes filles qui revenaient des pensionnats de Miss Une Telle ou de Miss Telle Autre et du bavardage à haleines gelées, et des mains qui s'agitaient au-dessus des têtes quand nous apercevions de vieilles connaissances, et des rivalités dans les invitations : "Tu vas chez les Ordway ? Les Hersey ? Les Schultz ?", et les longs tickets verts que tenaient fermement nos mains gantées, enfin des wagons jaune sale de la ligne Chicago-Milwaukee-Saint Paul, l'air aussi joyeux que Noël lui-même, sur la voie à côté des portillons.

Quand on démarrait dans la nuit d'hiver et que la vraie neige, notre neige, commençait à s'étendre de part et d'autre et à étinceler contre les vitres, que les faibles lumières des petites gares du Wisconsin glissaient sur notre route, l'air tout à coup se faisait revigorant. Nous aspirions profondément en rentrant du wagon-restaurant par les froids vestibules à soufflets, sentant inexprimablement notre densité personnelle dans cette contrée pendant une heure étrange, avant de nous fondre à nouveau en elle, de nous y incorporer.

C'est ça, mon Middle West, non le blé, ni les savanes, ni les hameaux perdus peuplés de Suédois, mais les retours émouvants par les trains de ma jeunesse, et les réverbères dans les rues, et les clochettes des traîneaux dans l'obscurité glacée, et les ombres des couronnes de houx projetées sur la neige par les fenêtres illuminées. Je fais partie de tout cela[1]. »

Bientôt le semestre reprend, avec le souci de la préparation des partiels, vite relégué au second plan car le nouveau président du Club du Triangle, Walker Ellis, un garçon riche et brillant de La Nouvelle Orléans, lui passe une commande pour le spectacle de la saison suivante. Le manuscrit est à déposer à la mi-mai. Scott s'y consacre totalement, s'inspirant des auteurs à succès : Gilbert et Sullivan pour les parties chantées, Oscar Wilde pour les dialogues. On ne saurait, à l'époque, trouver meilleures références, et le projet ne manque pas d'audace. Fitzgerald a bien conscience que la pièce annuelle du Triangle bénéficie d'une réputation nationale car après Princeton, le spectacle est donné en tournée dans les grandes villes américaines. Dès lors, *Le Triangle* occupe le plus clair de son temps, il s'arrête seulement pour prendre l'air et un verre. Un jour, il fait par hasard connaissance de John Peale Bishop, attablé comme lui au Café du Paon. Retardé par une maladie d'enfance, Bishop vient lui aussi d'intégrer Princeton à vingt et un ans, déjà pétri de culture. Il a donc une

1. *Gatsby le Magnifique*, le Livre de poche, p. 245-246.

maturité, une posture qui séduisent Fitzgerald et surtout les deux jeunes gens sont entichés de littérature, Bishop, tout particulièrement de poésie. Les voilà liés pour de bon et pour longtemps.

L'été revient et le Middle West, avec une nouvelle pièce *Assorted Spirits* – une farce, cette fois – écrite pour le Club dramatique élisabéthain de Saint Paul, qui lui vaut un nouveau succès, et une fois encore une seconde représentation au Club de voile de l'Ours blanc. Il a maintenant dix-huit ans et aborde sa seconde année à Princeton. Il s'installe seul au 107 de la maison Patton, avec vue sur les champs et les bois. Première déconvenue, ses résultats scolaires de première année lui barrent l'accès à la troupe de théâtre du Triangle.

Force est de constater que ses deux bulletins de notes de février et de juin 1914 sont affligeants : il est plus que faible en mathématiques, chutant en algèbre, géométrie et trigonométrie, son seul point fort reste l'anglais, il s'en tire assez bien en latin. Absences, notes manquantes, c'est un piètre bilan. L'essentiel pour lui est ailleurs, au *Triangle*. Mais, au vu de ses bulletins calamiteux, il n'est pas autorisé à mener des activités hors du strict curriculum. S'envole le plaisir de jouer la comédie sur place et, à plus forte raison de partir en tournée. Une délégation va plaider sa cause auprès du doyen et de quelques professeurs pour obtenir un assouplissement : en vain, avec cent trente-huit absences sans excuse, sa cause est perdue. Il doit se contenter d'aider à la mise en scène de son œuvre *Fie ! Fie ! Fi-Fi !*, pièce en cinq actes et treize personnages. Naturellement, il y consacre beaucoup de temps, au détriment des sciences et des cours de chimie durant lesquels, avec son voisin, il écrit des poèmes. En décembre, *Le Triangle* part en tournée, sans lui. On lui envoie les coupures de presse : le *Louisville Post*, le *Baltimore Sun*, le *Brooklyn Citizen* ne tarissent pas d'éloges sur les mérites de son opérette, pleine de fraîcheur, d'humour et de vivacité. Des agents de Broadway lui font même des appels du pied pour qu'il embrasse une carrière théâtrale. Premières griseries de la gloire !

Les clubs de Princeton, très élitistes, l'intriguent et le tentent depuis le début. Il faudrait y entrer et accéder au meilleur, songe Scott qui observe en embuscade. On en compte une douzaine, avec leur caractère propre : il y a le Tiger Inn, pour les athlètes ; Ivy, suprêmement aristocratique ; le Cap and Gown, hostile à l'alcool et vaguement religieux, influent politiquement. Au club Colonial, tout est flamboyant ; les esprits littéraires se retrouvent au Quadrangle. Fitzgerald s'y intéresse de plus en plus près, fait une planche de dessins humoristiques pour la couverture du *Princeton Tiger*, de fines silhouettes naïves dans l'esprit de la caricature aimable, croquant l'avenir des membres des clubs. C'est ainsi qu'à Gateway, on devient intellectuel, chercheur ou enseignant alors qu'on joue au golf si l'on appartient à Ivy. Là aussi c'est le succès, Scott est coopté et même élu au club Cottage, l'un des quatre grands, qui se réunit dans une grande demeure à un étage, avec deux ailes en avancée, une balustrade et une cour d'honneur. Il a pour camarades les hommes d'influence de l'avenir, sans le savoir à l'époque, ceux qui deviendront présidents de banques et de compagnies pétrolières, gouverneur du Tennessee, intellectuels de premier plan, juges ou officiers de haut rang. Fitzgerald est désormais des leurs, sa réputation n'est plus à faire, il a aussi été élu au comité de rédaction du *Triangle*, et, trois années d'affilée, il est l'auteur du livret de la pièce qui fait la gloire du prestigieux campus. Il est devenu un personnage en vue, tout le séduit, tout l'intéresse, sauf les études universitaires, c'est là son paradoxe à Princeton.

À Saint Paul, entre le 22 décembre 1914 et le 3 janvier 1915 se succèdent sauteries, cotillons et spectacles ; Scott Fitzgerald doit même décliner quelques invitations à dîner. Vient alors le temps, fiévreux, du premier amour. La dame a pour nom Ginevra King. Il la rencontre chez son amie et voisine Marie Hersey, à qui elle rend visite au 475, Summit Avenue, toujours considérée comme l'adresse la plus élégante de Saint Paul. La famille Fitzgerald y habite une maison de trois étages, souvent sombre car Mollie garde les stores baissés, mais Scott, tout en haut, a toute la clarté d'un balcon qui donne sur la rue. Ginevra est issue d'une très riche famille de Chicago et en ville sa venue fait sensation. La presse locale s'en fait l'écho et annonce une grande réception suivie d'un souper chez Elizabeth McDavitt, en prenant bien soin dans ce carnet mondain de donner les noms des demoiselles invitées. Ardente et volage, Ginevra est une jolie fille de seize ans, déjà très courtisée, mais lui, Scott Fitzgerald, est l'auteur de la pièce qui se donne en son honneur, chez Marie Hersey, si bien qu'ils se rencontrent la veille de son départ pour Princeton. Subjugué et sitôt très épris de cette fille aux vrais cheveux blonds et aux yeux marrons, il l'inonde de courriers enflammés durant toute l'année 1915 et, à l'occasion, d'un poème :

> Automne 1916, un après-midi frais :
> Sous une lune blanche Caroline rêvait,
> Un orchestre jouait, faisant Bingo-Bango,
> Nous invitant ensemble à danser le tango.
> Tout le monde applaudit, nous voyant nous lever,
> Son ravissant visage et mon nouveau complet...[1]

En novembre, elle lui envoie un télégramme de Waterbury, dans le Connecticut, pour l'inviter à dîner deux jours plus tard, le samedi 13, au restaurant Elton, après le derby Yale-Princeton auquel il l'a conviée.

1. *Le Sommeil et la Veille*, La Pléiade, tome II, p. 1445.

Hélas pour lui, ce n'est pas un tête-à-tête, la belle inconstante a convié deux autres jeunes gens de leurs connaissances. Ils se voient encore à New York, vont au théâtre et prennent un verre sur le toit du Ritz. Dans leurs fragments de discours amoureux, savent-ils que Griffith sort *Naissance d'une nation* ? Ont-ils vu les premiers films de Charlot ? Ils s'éloignent et tandis que Scott passe l'été dans un ranch du Wyoming, à l'invitation de Sap Donahoe, Ginevra villégiature dans le Maine. Il en rêve si bien qu'elle devient l'archétype des *golden girls* qui peuplent ses fictions pendant de longues années, tour à tour Judy Jones, dans *Winter Dreams,* Isabelle dans *This Side of Paradise*, et tout particulièrement dans le personnage de Joséphine, qui plaira tant aux jeunes étudiantes des collèges chic dans *Basiland Josephine Stories*. Lorsqu'elle se mariera en septembre 1917, six mois après leur rupture, Scott fera cette remarque désabusée dans son journal intime : « Les garçons pauvres ne devraient pas envisager un mariage avec une jeune fille riche. »

Épistolier toujours, il adresse à la fin du mois de janvier 1915 un charmant poème en trois strophes rimées à Marie Hersey, son amie de Saint Paul avec qui il échange régulièrement des lettres pendant l'année universitaire. De même, il écrit fréquemment à sa sœur Annabel. Cette fois, c'est une lettre de dix pages, véritable traité du maintien dans le monde, très ordonné, divisé en rubriques comme un manuel, tant la question est sérieuse. Il s'agit de cultiver l'art de la conversation et de la prestation en public, d'analyser et de tirer enseignement et avantage du jeu de la société. Mais ce qui ne peut manquer de frapper sa jeune sœur de quatorze ans, c'est l'insistance sur la maîtrise de soi acquise méthodiquement grâce à un entraînement raisonné. L'art de paraître, d'écouter, de se mettre en valeur, se forme à coup de répétitions chez soi, de séances devant le miroir pour fabriquer un sourire ou travailler un sourcil, d'imitations de modèles. Tout se compose de manière rationnelle, délibérée, tout s'apprend, de la coiffure à la démarche, de l'habit à la pose. À l'évidence, Scott a beaucoup observé les jeunes filles et il prend très au sérieux son rôle de conseiller et de chaperon des élégances. Il y a dans ces longues pages une tendre sollicitude, un désir d'aider sa sœur. Il numérote les paragraphes, il souligne, il ne se contente pas de généralités mais émaille son propos des noms des amies de leur entourage, Hariette, Marta, Alice ou Elizabeth : « Tu as de beaux cheveux, tu devrais pouvoir en tirer parti. Va trouver la fille la plus soignée de l'école, demande-lui conseil et coiffe-toi comme elle. Bien sûr que je remarque tout. Quand Grace est bien coiffée, elle est bien. Quand elle est ébouriffée, on dirait le diable. Sandy et Betty ont toujours l'air soignées. C'est leur coiffure qui fait tout[1]. »

---

1. Matthew Bruccoli, *A Life in Letters, F. Scott Fitzgerald*, *op. cit.*, p. 9.

Scott s'enhardit jusqu'à donner la liste des points forts et faibles de sa sœur. En positif : ses cheveux, son bâti, ses traits ; en négatif : ses dents très passables, son teint pâle, sa silhouette simplement correcte, de grands pieds et de grandes mains. À part cette dernière particularité, tout est amendable, il suffit d'y veiller. Tout se travaille, du rire au regard. Une bonne conversation ne s'improvise pas, c'est « un art cultivé », et Annabel a là aussi des progrès à faire, en mesurant bien ce qui plaît aux garçons .

« Les garçons aiment parler d'eux-mêmes, beaucoup plus que les filles. Une de mes amies, Helen Waldcott, m'a dit (et c'était la débutante la plus en vue à Washington durant l'hiver), qu'aussitôt qu'elle laissait parler un garçon de lui-même, elle l'avait ferré et à sa merci. Ils se lâchent complètement. Voilà les questions à aborder par une fille :

a) Vous dansez tellement mieux que l'an dernier.

b) Et si vous me donniez cette jolie cravate quand vous ne la porterez plus ?

c) Vous avez les plus longs cils (cela va l'embarrasser, mais il va adorer)[1].

À éviter absolument : les sujets comme l'école, la maison, les banalités sur l'orchestre ou le parquet de

1. *Ibid.*, p. 7.

danse. Et aussi, ne pas chanter, même si tout le monde s'y met. Plus tard, prévient-il, « les garçons parleront cigarettes et alcool. Reste très ouverte. Les garçons détestent les mijaurées, dis-leur que tu n'as rien contre les filles qui fument mais que tu n'aimes pas les cigarettes. Dis-leur que tu fumes seulement le cigare – ça les bluffera ! Après, tu glisses toujours un mot sur les derniers livres parus, les pièces de théâtre, la musique. Il y a plus d'hommes qui vont estimer ces remarques que tu ne l'imagines.

Dans ta conversation, donne toujours l'impression d'être d'une totale franchise, mais en fait modère-toi. Ne donne jamais à un garçon l'impression que tu es appréciée de tous – Ginevra commence toujours par dire qu'elle est bien seule et qu'elle n'a personne qui la courtise. Regarde ses yeux, si tu peux. Ne fais pas semblant de t'ennuyer, c'est très dur de le faire avec grâce. Apprend à être mondaine. Et souviens-toi que dans notre société, neuf filles sur dix se marient pour l'argent et neuf garçons sur dix sont des idiots[1]. »

On voit par là comment Scott Fitzgerald, rompu depuis ses tendres années aux bonnes manières et aux civilités, en fait non seulement une seconde nature mais un véritable code de réussite. Sous le charme apparent, sous l'élégante indolence se cachent une discipline et

1. *Ibid.*, p. 7 et 8.

une ferme ambition. La conclusion de la lettre comporte un résumé des points essentiels : la toilette, la nécessité d'être bien conseillée pour les achats, l'indispensable cohérence avec son type physique, sans oublier l'ardente obligation de cultiver son charme. Enfin, la dernière salve est très révélatrice de son approche des jeunes filles comme ornement de la conversation et de la promenade et, plus encore, comme faire-valoir :

> « Tu comprends, si tu vas quelque part et que tu sens que tu as belle allure, voilà un souci envolé et une grande bouffée de confiance en toi. Sans compter que la personne que tu accompagnes, un homme, un garçon, une femme – je pense aussi bien à tante Millie qu'à Jack Allen ou moi – aime à se dire que la personne qu'il sort, au moins en apparence, lui fait honneur[1]. »

Voilà Annabel bien prévenue de ce que l'on attend d'elle et son frère lui promet un prochain courrier consacré au bal et à la danse. Une telle sollicitude en dit long, à la fois sur sa tendresse pour sa sœur et, implicitement, sur les carences de leur mère. Mollie McQuillan n'a jamais su s'habiller – elle est même l'objet de moqueries dans son quartier – et elle n'est donc pas en mesure de conseiller utilement sa fille. Scott ne manque pas de

1. *Ibid.*, p. 10.

relever qu'Annabel a acheté un chapeau trop chichiteux, qui ne lui va pas, alors qu'elle a un visage qui se prêterait à des coiffures plus effrontées. En fait, il la rassure sur elle-même, son allure cavalière, et lui ouvre des embellies. L'épisode est transposé dans la nouvelle à la chute cruelle. *Bérénice se fait couper les cheveux*, qui paraît le 1er mai 1920 dans le *Saturday Evening Post*. La nouvelle est consacrée à deux cousines qui bavardent chiffons et coiffures, le lendemain d'un bal au Country Club. Ainsi, à dix-neuf ans, Scott Fitzgerald se pose déjà en Pétrone, en arbitre des élégances et des belles manières, un dandysme qui ne le lâchera plus.

S'il se considère orfèvre en la matière, c'est que depuis bien longtemps, il regarde les jeunes filles de près, une sorte de costumier, de grand couturier en herbe. Il n'hésite d'ailleurs pas à se costumer en danseuse de revue pour jouer dans sa pièce et pousse l'audace jusqu'à remettre sa tenue pour le bal de l'université du Minnesota, créant la sensation, et ne manque pas de passer chez le photographe. Il pose sur un fond romantique de nuages légers, comme il sied au cliché de l'époque : le voilà, un large chapeau sombre à bord ouvragé, crânement posé de biais, une longue étole fluide et transparente sur une robe à reflets, une fleur dans une main gantée posée sur le genou, l'épaule dénudée. C'est sa façon de répondre à l'interdiction de tenir les premiers rôles dans la troupe du Triangle. La photo paraît dans le

New York Times, ce qui lui vaut des courriers d'admiratrices, évidemment très bienvenus. Mais il est déjà ailleurs, notamment au Coffee Club, présidé par John Peale Bishop : on y discute littérature, bonne occasion pour que Fitzgerald commente ses découvertes et fasse part de son enthousiasme pour Balzac et *Le Cousin Pons*.

Le Triangle, encore, pour la pièce de la saison 1915, *The Evil Eye*, commentée par le quotidien *The Daily Princetonian,* qui rend hommage aux chansons et partitions de Scott Fitzgerald. L'action se passe dans un village de pêcheurs en Normandie, qui s'appelle Niaiserie. Le reste est à l'avenant avec Dulcinée, la fille du maire corrompu, le comte La Rochefoucauld, Boileau, représentant en parfumerie, Mme Miriflore, une mystérieuse Parisienne, et la Vieille Margot, tenancière du Poisson d'Or au village. Amours contrariées, emprisonnement, naufrage et retrouvailles, marivaudage et enlèvement au sérail, tout y passe et se déroule sous l'œil exercé d'un détective américain, à la barbe du gardien du phare. Bref, on s'amuse bien mais ce qui importe c'est la collaboration étroite avec Edmund Wilson, d'un an son aîné, qui écrit les dialogues de cette comédie. Wilson, à Princeton, est directeur de rédaction du *Nassau Lit.*, apprécié des professeurs pour son esprit de sérieux et son érudition naissante, et il reconnaît d'emblée l'exception Fitzgerald, tout enivré de littérature. Quelques années plus tard, ce Wilson deviendra un essayiste brillant, un critique littéraire influent, qui restera lié à vie à Fitzgerald, dont il publiera même les derniers écrits à titre posthume, après avoir été parfois son conseiller. Princeton est aussi une affaire d'amitié.

Au-delà du théâtre, Scott met son talent au service de l'université, bien conscient des rivalités avec les grandes voisines que sont Yale et Harvard. Et c'est ainsi qu'il gagne, en décembre 1915, le concours pour le nouvel hymne en proposant *A Cheer for Princeton* (« Vivats pour Princeton »). À dix-neuf ans, Fitzgerald est donc déjà lancé et largement investi dans les activités des clubs dont il brigue les honneurs. Il revendique désormais son appartenance à l'élite intellectuelle de la côte Est en avouant s'éloigner en esprit de Saint Paul, provinciale et glacée en hiver, même s'il en gardera toujours une immense nostalgie. Comme en écho, son personnage de Warren McIntyre joue les snobs : « Warren avait dix-neuf ans et se montrait plein de pitié envers ses amis qui n'étaient pas allés dans une université de l'Est. Mais comme tous les garçons, il parlait avec enthousiasme des jeunes filles de sa ville natale dès qu'il était au loin[1]. »

Bientôt, sa santé se dégrade. Il fait une forte fièvre,

1. *Bérénice se fait couper les cheveux*, dans *Un diamant gros comme le Ritz*, p. 101.

diagnostiquée à l'époque comme une malaria, mais une radiographie réalisée douze ans plus tard révèle qu'il s'agissait en fait d'un début de tuberculose. Scott quitte les lieux de son plein gré, comme il est inscrit sur la décharge officielle, le 3 janvier 1916, pour un long séjour dans l'Ouest. Néanmoins une lettre du doyen, datée de mai, le rassure : il sera repris mais il va devoir redoubler et constater, hélas, qu'il a été dépossédé de certaines fonctions chèrement gagnées, dont le secrétariat du Triangle Club, poste stratégique qui mène à la prestigieuse présidence.

Lorsqu'il revient l'année universitaire suivante, 1916-1917, après une coupure de neuf mois, il habite avec P.B. Dickey qui écrit de la musique pour le Triangle. Ils sont au 185 Little, tout proche du centre du campus. De 1900 à 1918, Princeton change considérablement. De presbytérienne, rurale et traditionnelle, elle devient porteuse de fortes ambitions intellectuelles, non plus provinciales mais nationales. Les programmes changent, un vent de liberté souffle et l'on se met à étudier les modernes et les contemporains, Shaw, Tolstoï, Whitman et Henry James. À cette rentrée, Scott ne jure que par la poésie, il s'épanouit, son charme est reconnu, sa vitalité, qu'il tient de sa mère, ses manières enjouées, qu'il tient de son père, font merveille. Il sait parler aux jeunes filles et les amuser, sa beauté romantique et son air de mystère ajoutent à sa séduction. Comme toujours il s'ennuie aux heures de classe, seul le cours de poésie romantique trouve grâce à ses yeux. L'ami Bishop l'initie à l'art poétique, lui fait lire Keats, il s'éprend de poésie anglaise, traduit Verlaine, devient expert en rimes, rythmes et images – un apprentissage qui lui sera précieux à vie. Composant des sonnets, des rondeaux, des ballades, il a en tête les cadences de Swinburne, mais aussi le destin de Rimbaud et se convainc qu'un poète écrit ses meilleurs vers avant l'âge de vingt ans, vingt et un ans tout au plus. C'est dire si le temps presse : il se jette donc dans la poésie à corps perdu, jour et nuit. Qui plus est, lorsque le *Tigre* a pris du retard pour être mis sous presse, John Biggs et Scott Fitzgerald passent la nuit à écrire tout ce qui manque pour assurer l'intégralité de la revue, ici un mot d'actualité sur la pièce du jeune O'Neill, là sur les poèmes de Chicago de Sandburg. Pour donner l'ambiance, il tourne ce poème, libre et sans prétention :

On ne se couche pas de la nuit

Le feu qui chauffe.
Les chaises confortables.
Les joyeux compagnons.
Les douze coups de minuit.
La suggestion hardie.
Les bonnes blagues.
L'homme qui n'a pas dormi depuis des semaines.
Les gens qui l'ont déjà fait.

Les anecdotes interminables.
La plus jolie des filles qui bâille.
La plaisanterie forcée.
Le coup d'une heure.
La plus jolie des filles va se coucher.
Les coups de deux heures.
Le buffet vide.
Le bois qui manque.
La deuxième jolie fille va se coucher.
Les laideronnes qui restent.
Les coups de quatre heures.
La somnolence.
Le côté amateur d'une soirée entre amis.
La peur du cambrioleur.
Le chat qui ricane.
La tentative pour impressionner le laitier.
Le laitier qui ricane.
L'impression de folie.
Le soleil frileux.
Les coups de six heures.
Les éternuements.
Les lève-tôt.
La volée de plaisanteries sur vous.
La réponse indigente.
Le petit déjeuner sans saveur.
Le jour misérable.
8 heures du soir, au lit.

Ainsi vont les petits métiers littéraires et les beaux esprits du campus toujours en éveil. Oiseau de nuit, Scott Fitzgerald le sera désormais : écritures, fêtes, beuveries, insomnies, tout le tient en maraude à la lueur des lampes. Et ensuite, le travail patient pour donner l'air du temps, dire les échos intérieurs des soirées peuplées de galants saturniens, les nuits, les lendemains.

Approches de la guerre

Printemps 1917, l'Amérique entre dans le conflit le 2 avril. Scott Fitzgerald lui-même traverse une période d'incertitudes. Bien conscient que, sur le campus de Princeton, sa renommée littéraire ne vaudra jamais les prouesses athlétiques, il s'est écarté de la religion qui n'a plus l'attrait du rêve romantique tel que vécu sous les frondaisons de Newman et la proximité bienveillante de Mgr Fay. Qui plus est, l'éloignement de Ginevra l'a profondément blessé et le désenchantement le guette. Les étudiants se divisent sur les questions de pouvoir et d'influence, il observe ces débats de société, ces révoltes contre le système et les clubs. Mais son attachement à Princeton sera indélébile : « Je me souviens de la dernière nuit de juin quand, avec les deux tiers d'entre nous en uniforme, notre classe a chanté son dernier hymne sur les marches de Nassau Hall et que certains d'entre nous ont pleuré parce que nous savions que nous ne serions plus jamais aussi jeunes que nous l'avions été[1]. »

Au cours de l'été, il songe à rejoindre l'armée et passe des examens d'entrée, puis repart à l'université.

En début d'automne 1917, il écrit à Edmund Wilson, son « cher Bunny », sur papier à en-tête du Cottage Club, pour faire le point. Jugeant sans appel Princeton « stupide », à l'exception de ses deux professeurs de littérature, Gauss et Gould, il s'est inscrit dans deux disciplines, philosophie et anglais, s'occupe des rubriques prose et poésie au magazine *Nassau Lit.,* tandis qu'il dévore Rousseau et Wells. En manière de plaisanterie, il rappelle dans un raccourci : « Tu te rends compte que Shaw a 61 ans, Wells 51, Chesterton 41, Leslie 31 et moi 21[2] », tous représentatifs d'une décennie, y compris lui-même, en toute malice et modestie. Il profite de ce courrier panoramique pour insérer un poème qu'il vient de soumettre à la revue *Poet Lore*, de Boston, qui en publiera un autre dès septembre. Prêt à quitter l'université, sans diplôme, Scott a décidé de s'engager et, pour donner le change, il annonce aussi qu'on lui propose un voyage en Italie en qualité de secrétaire particulier du père Sigourney Webster Fay, son maître lorsqu'il était pensionnaire à Newman. En effet, les catholiques améri-

1. *Un livre à soi, op. cit.*, p. 15-16.
2. *A Life in Letters, op. cit.*, p. 12.

cains veulent faire valoir auprès du Saint-Siège leur position vis-à-vis de la guerre et des alliances et ils sont très actifs dans la Croix-Rouge. Scott Fitzgerald, à l'évidence, est apprécié, sollicité. C'est déjà un travailleur acharné sous des apparences légères. Le père Fay lui garde sa confiance et, perspicace, lui offre une sortie glorieuse. Mais il s'interroge. Quoi qu'il arrive, « il avait appris à connaître les meilleurs tailleurs des États-Unis et il avait pris les manières réservées particulières de son université, manières qui le distinguaient de toutes les autres. Car, ayant reconnu l'intérêt de ces affectations pour son propre cas, il les avait adoptées sans hésiter[1]. »

Avec son brevet de sous-lieutenant d'infanterie, il reçoit sa feuille de recrutement dans l'armée fin octobre, ce sera Fort Leavenworth au Kansas. Aussitôt il fait paraître un article biographique dans le journal du campus *Nassau Herald*, avec sa photographie, en indiquant, après le rappel de son parcours scolaire et universitaire, qu'il va poursuivre des études de littérature anglaise à Harvard et se destine à une carrière de journaliste. Pieux mensonge. Dans une lettre à sa mère, en date du 14 novembre, il lui fait part de sa satisfaction d'être accepté par l'armée, mentionne que sa solde démarre à partir du jour de la signature de son serment

1. « Rêves d'hiver », *Un diamant gros comme le Ritz*, *op. cit.*, p. 258-259.

d'engagement, dûment envoyé le 13, et qu'il est passé en ville commander son paquetage. Très minutieux, comme d'habitude, sur l'argent, il précise qu'il touchera 141 dollars par mois, soit 1700 dollars par an et qu'il aura une augmentation de 10 % lorsqu'il sera en France. Comme l'uniforme va coûter cher, il prie sa mère de lui envoyer rapidement son allocation régulière, en prenant soin de souligner de deux traits le passage. Ces considérations d'intendance étant épuisées, il en vient à l'esprit de sa nouvelle orientation :

> « Je t'en prie, ne va pas me parler de Tragédie ou d'Héroïsme, deux notions que je déteste. J'y vais de sang-froid, je ne me reconnais pas dans les airs et les poèmes guerriers du style "Étoffe des Héros" ou "Donner son enfant au pays", etc.
>
> J'y suis allé pour des raisons purement sociales. Si tu veux prier, prie pour mon âme, comme une bonne catholique, et non pas pour que je ne sois pas tué, ce qui n'a pas d'importance[1]. »

Il termine en l'assurant de son humeur joviale et lui enjoint de respecter ses consignes.

---

1. Matthew J. Bruccoli, Scottie Fitzgerald Smith et Joan P. Kerr (éd.), *The Romantic Egoists, a pictorial autobiography from the scrapbooks and albums of F. Scott and Zelda Fitzgerald*, University of South Carolina Press, 1974, p. 33.

Après Princeton, la vie dans un camp d'entraînement dans les plaines du Kansas lui paraît difficile. L'hiver est particulièrement rude, on dort dans des chambrées de quinze, le capitaine en charge de la section de Fitzgerald sort de la grande école militaire de Westpoint, c'est un certain Dwight David Eisenhower ! Les samedis et dimanches, alors que les jeunes recrues vont au bal à Kansas City, Fitzgerald passe tout son temps sur l'ébauche d'un roman, dans un coin du club des officiers, bruyant et enfumé, le samedi de midi à six heures, le dimanche de six heures du matin à six heures du soir. En semaine, à l'étude, il tâche encore d'écrire des paragraphes dans un cahier qu'il intitule en couverture *Les Petits Problèmes de l'infanterie*, pour tromper son monde. Il a fait un plan en vingt-deux chapitres mais il est assez vite repéré malgré sa ruse et ne peut plus écrire ses brouillons pendant les séances d'étude. Il soumet un premier jet au père Fay, très encourageant, comme à l'accoutumée, puis au professeur Gauss, plus réservé. Scott ne cesse de corriger, d'étoffer et il envoie chapitre après chapitre à une dactylo à Princeton. Il prend aussi l'avis de l'ami John Peale Bishop qui vient de publier un recueil de poésie et fait des suggestions, tout aussitôt intégrées. Aux premiers jours de mars 1918, *The Romantic Egotist* part chez l'ami écrivain du père Fay, Shane Leslie, déjà côtoyé à Newman, qui relit les épreuves et les adresse à l'éditeur de renom Scribner avec un mot d'accompagnement : il s'agit de ne pas refuser le manuscrit, mais bien de jouer la montre de manière à laisser partir Fitzgerald à la guerre, en Europe, avec la certitude qu'il est devenu romancier.

« Tout autour de nous semblait craquer. C'étaient de grands jours ; la bataille était à l'horizon ; plus rien ne serait comme avant et plus rien n'avait d'importance. Et pendant les deux ans qui ont suivi, plus rien n'a eu d'importance, écrira-t-il plus tard. Cinq pour cent de ma classe d'âge, vingt et un garçons ont été tués pendant la guerre[1]. » Le 15 mars, il rejoint le 45e régiment d'infanterie à Camp Taylor, près de Louisville, dans le Kentucky, sous la neige et le blizzard. Mi-avril, c'est Camp Gordon en Géorgie, puis, deux mois plus tard, Camp Sheridan en Alabama où il est muté au tout nouveau 67e régiment formé à partir du 45e, au sein de la 9e Division entraînée au combat. Scott Fitzgerald est affecté au quartier général, il est désormais « premier lieutenant », ce qui l'autorise à porter bottes et éperons, accessoires remarquables de sa nouvelle silhouette – des bottes toujours impeccablement cirées, et qui font sa fierté.

Avec cette affectation dans le Sud s'impose à lui un dépaysement total. À Montgomery, la ville toute proche aux mains des vieilles familles des confédérés, chacun

1. *Un livre à soi*, *op. cit.*, p. 15.

reste fier des temps anciens, ces temps glorieux où l'on repoussait les Yankees, et l'on préserve la tradition. Ainsi, chaque matin, des vachers noirs font passer leurs bêtes dans le quartier résidentiel et, chaque mois de septembre, une procession des chariots à mules amène aux entrepôts les balles de coton où sont juchées des femmes en robe de soie qui pincent des banjos, tandis que leurs hommes en canotier font claquer leurs fouets. Le vieux Sud célèbre sa ruralité sans fléchir et Scott n'en finit pas de s'étonner, bien seul avec sa nostalgie, se rappelant la fièvre nocturne de Princeton, les discussions pêle-mêle sur le pragmatisme ou l'immortalité de l'âme, les scintillements de New York, les thés dansants au Plaza et même l'ennui de bon ton de Saint Paul.

Les entraînements se succèdent, le départ pour le front est imminent, annoncé, puis retardé. Que faire ? Les éditions Scribner lui envoient un long courrier en date du 19 août 1918, louant l'originalité du manuscrit, mais il manque une conclusion et il faut faire des révisions. Le lieutenant Fitzgerald a reçu sa feuille de route pour l'Europe. Mais que faire en attendant, sinon aller danser au Country Club le dimanche ? Les officiers y sont très attendus, Scott tranche sur le lot avec son bel uniforme sur mesure de chez les Frères Brooks, sa silhouette mince, son teint pâle, ses longs cils et ses yeux qui semblent rêver. À la fois attentif et lointain, il possède l'élégance d'un lévrier.

Le tourbillon

La beauté du Sud, « Reine de l'Alabama »

À Montgomery, dans le respect des traditions, le calendrier ramène chaque année le Carnaval du cours de danse au Grand Théâtre, ses jeunes filles déguisées en Pierrots avec chapeaux pointus et cordes à sauter. Elles sont trois, la première exécute son numéro sans faux pas, la seconde trébuche et fond en larmes, la troisième s'emmêle dans la corde, tombe, se relève, repart en entrechats et perd son chapeau. Qu'importe, elle sourit, elle s'amuse, elle donne à croire que les péripéties font partie de la danse et la salle applaudit à tout rompre.

Cette ballerine porte un nom de bohémienne, Zelda, déniché par sa mère dans un livre d'aventures. « *Nomen, omen* », disaient les Romains : le nom est un présage, et déjà Zelda Sayre incarne l'esprit de la danse, la séduction, la volupté du succès. Benjamine des six enfants du juge Anthony Dickinson Sayre de la Cour suprême d'Alabama et de son épouse Minnie Machen, fille d'un sénateur du Kentucky, dite « le lys sauvage du Cumberland », elle mènera un temps une vie de bohème. Minnie est douée pour le théâtre et la littérature mais les démocrates du Sud ont avancé le nom de son père pour la candidature à la présidence des États-Unis, et il devient dès lors hors de question qu'elle songe à s'exposer dans ces domaines. Invitée à Montgomery pour les fêtes de fin d'année par le meilleur ami de son père, le sénateur Morgan de l'Alabama, elle rencontre au bal du nouvel an son neveu qui la courtise. Ils se sont mariés en juin 1884, sur la plantation de tabac des Machen, près d'Eddyville, dans le Kentucky, l'une des plantations de la famille qui possède un véritable empire, très étendu, dont un site s'orne de la réplique en briques rouges d'un château anglais. Les jeunes époux vont habiter bourgeoisement le beau quartier de la Colline, à Montgomery. Sans être riches, dans la société de leur temps, ils représentent une forteresse de respectabilité, de savoir et de notoriété.

Le juge, très considéré, se consacre au droit et lit des ouvrages d'histoire ; la mère de Zelda, qui avait rêvé d'une carrière à l'Opéra, écrit des poèmes, des odes bucoliques qu'elle publie dans la presse chrétienne locale et s'occupe de patronages. Deux petits garçons mourront en bas âge, restent quatre filles dont Zelda, brillante, généreuse et fantasque, qui aime jouer dehors avec les garçons mais aussi séduire comme bien des petites filles. Jolie avec ses cheveux dorés et son teint rose, à l'aise en uniforme d'écolière, en guenilles ou en robe d'organdi, coiffée de chapeaux à rubans, elle est indisciplinée et pleine de charme. Dès le 11 mars 1911, elle fait l'objet d'un article à la page féminine du journal *The Montgomery Advertizer* qui rend d'abord hommage au talent littéraire de sa mère avant de lui poser des questions. À onze ans, très à l'aise et sans timidité, elle confie au journaliste qu'elle aime d'abord courir, jouer aux Indiens, au gendarme et au voleur. Puis elle parle de ses livres préférés, ajoute qu'elle s'intéresse à la géographie, qu'elle adore peindre et dessiner. L'article rappelle la grandeur de sa famille, son grand-oncle, le général John Morgan qui a longtemps siégé au Sénat des États-Unis, son père, l'un des meilleurs juges de l'Alabama. Et de conclure que si elle était un garçon, elle serait promise à un grand avenir. Ses sœurs aînées montrent la voie : il y a Marjorie qui fait des dessins à l'encre, Rosalind, la première jeune fille de bonne famille à prendre un emploi autre que le préceptorat puisqu'elle entre à la First National Bank, et Clotilde qui deviendra, bien plus tard, le personnage de Joan dans le roman de Zelda, *Accordez-moi cette valse*. Pour l'heure, à la Sidney Lanier High School de Montgomery, Zelda s'inscrit au club dramatique et au groupe de débat. Elle gagne la compétition de natation de la série senior en 1918 et, sur sa lancée, est élue haut la main la jeune fille la plus séduisante de l'année. On dit aussi qu'elle a l'esprit cinglant comme un coup de fouet.

Mais très vite, dans la ville endormie de Montgomery, Zelda rêve d'ailleurs. Au lycée, elle est la plus populaire, à la maison elle est adulée par sa mère. Au-dehors, elle peut apparaître effrontée. Rêve-t-elle du sceptre et du titre de miss Alabama ? Au bal, elle joue les affranchies, elle embrasse les garçons, se distingue par une certaine témérité sexuelle… Lorsqu'elle va danser avec les militaires de Camp Sullivan, elle fume – c'est encore un tabou pour les femmes – et ne déteste pas une gorgée d'alcool lorsque le goulot de la bouteille passe de mains en mains. S'il lui arrive de rentrer tard, son père la réprimande un peu mais rien n'y fait, elle retourne au bal où elle finit par rencontrer le lieutenant Fitzgerald au Country Club, en juillet 1918. Elle va avoir dix-huit ans. Scott la remarque et se présente à elle. Séducteur, Fitzgerald ? Il sait qu'il a pour lui la belle apparence et l'intelligence, il sait aussi qu'il lui manque un certain magnétisme animal et l'argent. Mais il est très soigné, différent, et elle le regarde, déjà subjuguée : « Il semblait avoir entre les épaules une sorte de crochet céleste qui le maintenait au-dessus du sol en état de lévitation enchantée comme s'il savourait le pouvoir de voler et ne consentait à marcher que pour céder aux convenances[1]. » Et surtout, il

1. Jacques Tournier, *Zelda,* Points, 2010, p. 29.

danse divinement, la valse assurément, mais aussi le turkey-trot, le maxie, tous les pas à la mode. À eux la musique des ragtimes, le parfum doucement enivrant du chèvrefeuille et des grands magnolias. Dans la chaleur de Montgomery, leur forte attirance mutuelle, leur appétit de vie, leur beauté, mais aussi leur originalité, tout les rapproche. Deux enfants gâtés qui se comprennent d'emblée comme tels, deux enfants de vieux, comme ils aiment à le dire. L'idylle se noue immédiatement entre le bel officier à l'élégance enchantée et la reine de l'Alabama. Il vient du froid et du voisinage des Grands Lacs, elle est la canicule dévorante du Sud.

À l'armée, Fitzgerald commande une compagnie de fortes têtes fraîchement arrivées de New York. Il mate un début de rébellion, force le trait au cours des manœuvres, sauve ses hommes d'une noyade dans la rivière Tallapoosa. En septembre, il fait les corrections demandées par Scribner et renvoie le nouveau texte de *The Romantic Egotist*. Peine perdue, il essuie un refus définitif, malgré l'enthousiasme de l'éditeur Maxwell Perkins. Raison de plus pour aller danser. Zelda embrase le bal, fait la roue, demande crânement ses airs préférés à l'orchestre pour danser des solos ; elle est l'étoile qui scintille. Cette gloire pétillante rejaillit sur Scott, son beau cavalier. Pour donner la pleine mesure de son admiration, il la décrit à ses amis comme la plus belle fille d'Alabama et de Géorgie.

Fin octobre 1918, la division de Fitzgerald est affectée outre-mer : au bel officier les rêves d'exploits guerriers. La grippe retarde l'embarquement, on monte à bord, les ordres changent, on repart en caserne à Long Island, à Camp Mills. C'est le moment où John Peale Bishop lui écrit du front, enchanté par les rumeurs d'armistice, prêt à faire la fête à Princeton, à chanter des poèmes de Keats, à lire le *Manifeste Dada* et à prendre une mansarde avec Scott à Washington Square. Mais voici la nomination de Fitzgerald comme aide de camp du général Ryan, commandant la 17e brigade d'infanterie : s'ouvre à lui une carrière altière autant qu'une agréable sinécure.

L'année 1919 commence mal avec la pneumonie et le décès de Mgr Fay, qui affecte considérablement son ancien élève, soudain orphelin d'un père spirituel et protecteur. Fitzgerald envoie un courrier à Shane Leslie pour lui faire part de son chagrin, de la chape de tristesse qui tombe sur ses épaules. Le mois suivant, toujours en instance d'embarquement pour la France, Scott est démobilisé après l'armistice qui met brusquement fin à ses aspirations à la gloire sur les champs de bataille. Si bien qu'il part immédiatement, le 18 février, à New York pour tenter sa chance. Il a demandé Zelda en mariage, elle attend fébrilement qu'il puisse la faire vivre avec assez d'argent car, à ses yeux, la misère rompt les charmes et fait tomber la vie amoureuse dans une affligeante routine. Donc elle s'amuse avec les aviateurs de Camp Taylor qui dessinent dans le ciel des vrilles et des cœurs, qui font piquer leurs avions au-dessus de la maison du juge Sayre, au 6 Pleasant Avenue. Alors Scott la bombarde de télégrammes sans ponctuation où il donne libre cours à son ambition, son enthousiasme, sa confiance, tout est sublime, tout est possible, et pour lui ce monde est un jeu puisqu'il est sûr de son amour. Scott envoie à Zelda des messages de quatre lignes pour tout et rien, pour simplement lui dire bonjour, évoquer le printemps de New York, plein de promesses, lui affirmer qu'il est sûr du succès si elle vient le rejoindre au plus vite. Pour sceller le pacte, une bague de fiançailles part le 22 mars vers l'Alabama.

Mirages de New York

Admiratif, émerveillé, il va, « les yeux écarquillés devant la splendeur », en spectateur attentif : « New York était absolument iridescente, comme au commencement du monde. Les troupes qui rentraient de la guerre défilaient dans Fifth Avenue et les filles étaient instinctivement entraînées vers le nord et l'est dans leur direction. Nous étions enfin reconnus comme la nation la plus puissante et il régnait une atmosphère de fête permanente[1]. » Il loue tout aussitôt une chambre au

1. *Un livre à soi*, *op. cit.*, p. 129.

200 Claremont Avenue, à Morningside Heights, au milieu de nulle part, dans le Bronx, et laisse sa carte aux assistants des rédacteurs en chef des journaux en demandant qu'on le prenne comme reporter : « J'avais vingt-deux ans, la guerre était finie et j'allais traquer des assassins le jour et écrire des nouvelles la nuit. Mais les journaux n'avaient pas besoin de moi… J'ai donc travaillé dans la publicité à quatre-vingt-dix dollars par semaine, écrivant des slogans qui font passer les heures de lassitude dans les trolleys à la campagne[1]. »

Après le travail à l'agence Barron-Collier, spécialisée dans la réclame pour les transports en commun, il écrit des nouvelles, parfois très vite, en deux heures, ou plus posément en trois jours. Dépité, il épingle les formulaires de refus pour faire une frise autour de sa chambre : cent vingt-deux rejets ! Alors il se met à écrire des sketches, des paroles de chansons, des scénarios, des histoires drôles. Surprise, *The Smart Set* lui paie trente dollars pour une nouvelle écrite deux ans plus tôt à l'université, et c'est la brume délicieuse du premier petit succès. Les trente dollars sont aussitôt dépensés pour acheter un éventail à plumes magenta pour une fille de l'Alabama, une fille qu'il nomme son tourbillon et qu'il faut vite attraper dans un grand filet aux mailles dorées. En mars, il envoie une bague à Zelda puis lui rend visite à trois reprises à Montgomery, en avril, mai et juin pour la pres-

1. *Ibid.*, p. 3.

ser d'accepter le mariage, mais comme il ne peut encore la faire vivre décemment, elle hésite et calcule. Perdu et oublié à New York, Fitzgerald s'éloigne d'un pas pressé de certains lieux tels le mont-de-piété où il a laissé ses jumelles militaires, les restaurants chic, les boîtes de nuit où croisent les amis fortunés, habillés à la dernière mode, les bureaux prospères et affairés où l'on garde les emplois pour les fils de retour de la guerre. Il erre comme un fantôme dans la Rose Room du Plaza le samedi après-midi, puis mange fréquemment au Yale-Princeton Club où il s'attarde en buvant des Martinis, à moins qu'il ne passe ses soirées au Delmonico, ou ne hante les bars jusqu'à l'aube. Il retrouve ses amis de fac titubant au comptoir du Biltmore, se rend dans les réceptions chic et arrosées de l'Upper East Side. C'est l'aventure métropolitaine, avec son lot d'ambition et de rage de vivre : il aperçoit bien les maisons des millionnaires et la jeunesse dorée comme un décor impressionnant mais il n'est pas des leurs. Sa tête est pleine de pièces de monnaie qui filent, qui tintent comme la boîte à musique des pauvres. Il flâne dans le quartier de la 127e Rue, pour vibrer de son animation, il achète des places de théâtre bon marché chez Gray pour se perdre quelques heures dans sa vieille passion pour Broadway. Puis il repart rapidement parce qu'une lettre l'attend peut-être devant la porte.

À juste raison il s'inquiète de sa belle du Sud, car il la devine courtisée par des fils à papa qui lui offrent à la fois l'opulence et la renommée d'une grande famille. En juin, faute d'embellie dans la situation de son galant, Zelda rompt leurs fiançailles : elle va bientôt s'afficher au bras d'un riche prétendant. Scott réagit par ce message très net : « Il me serait égal que tu meures, mais je ne supporterais pas que tu en épouses un autre[1]... » Après quoi il emprunte de l'argent à des camarades de Princeton et noie son chagrin dans l'alcool pendant deux semaines, dégoûté de lui-même et de tous les éditeurs.

Et, fatalement, c'est de nouveau le train pour Saint Paul. Il y arrive pour la fête nationale du 4 juillet et déclare tout de go qu'il s'y installe pour écrire un roman. La famille hoche la tête et parle d'autre chose. Qu'importe, Scott est farouchement déterminé et, sans relâche, au cours des deux mois brûlants de l'été, il met ensemble tout ce qu'il a écrit jusque-là, y compris des textes parus dans le *Nassau Lit.*, si bien que ses amis vont sourire et dire qu'il s'agit de ses œuvres complètes. Un pêle-mêle, des emprunts, certes, mais une fraîcheur, une vitalité, une sincérité imprègnent le roman et font entendre une voix nouvelle. Il fume beaucoup et son catholicisme part en fumée dans les volutes de ses cigarettes. Le 3 septembre, il envoie son manuscrit et

1. Cité par Gilles Leroy, *Alabama Song*, Gallimard-Folio, 2009, p. 40.

prend un petit travail comme cheminot au Northern Pacific Railroad. Réflexion faite, il commence à songer à prendre un agent littéraire. Pourquoi pas Paul Revere Reynolds, à qui il envoie ses derniers textes...

Le 15 septembre, un courrier recommandé de la maison Scribner lui annonce que *L'Envers du paradis* est accepté : cette fois, Maxwell Perkins a bien eu le dernier mot. Il exulte, paie ses modestes dettes, s'achète un nouveau costume. En même temps, un de ses textes, *Babes in the Woods*, est publié dans *The Smart Set.* Fitzgerald, déjà perdu dans un monde de promesses ineffables, sent comme une métamorphose : l'amateur est devenu un professionnel, un auteur. Tout se sait vite dans le petit monde de l'édition. Immédiatement, les revues se montrent avides de le publier, il leur vend huit nouvelles. Dans l'euphorie, il fournit, il écrit. À sa surprise, il est adopté non plus comme un homme du Middle West mais comme le porte-parole de son temps, le produit d'une atmosphère volatile, bref, l'archétype de ce que New York attendait. Cette folle fin d'été 1919 apparaît comme emblématique. Dès ce moment, toute la vie de Scott Fitzgerald sera animée par ce besoin incessant et jamais assouvi d'écriture, par cette course effrénée à la vente de ses textes. Il reste un jeune prince affamé, attentif à la nouveauté littéraire ; Gide, Proust, Valéry publient en France, il se plonge dans ses contemporains américains, Dreiser, Mencken, O'Neill et les *Poèmes* de T.S. Eliot avec qui il se liera plus tard.

Véritable document sur l'âge du jazz, *L'Envers du paradis* appartient au genre littéraire dit du roman d'éducation, « en deux grandes parties, huit chapitres et 86 000 mots », précise Fitzgerald à Maxwell Perkins. Le public, et en particulier les mères victoriennes, très nombreuses en province à l'époque, y découvrent la vie estudiantine, les amours juvéniles, ces soirées où l'on boit, où l'on s'embrasse à bouche que veux-tu. Le président de Princeton fronce le sourcil, l'ami Edmund Wilson montre les faiblesses de l'intrigue, le *New York Tribune* recense des erreurs, mais le fait est là : Amory Blaine, le protagoniste de *L'Envers du paradis*, étudiant à l'université de Princeton, remplace Dorian Gray, le dandy hédoniste qui trouve une jouissance éphémère dans la dépravation de son âme.

Le roman s'évade du sérieux du naturalisme ambiant, célèbre une émancipation joyeuse et le public est sensible à cette nouvelle quête du Graal, à cette nouvelle version du roman d'apprentissage de la vie. Sans prétention, pleine d'oralité, la prose de Fitzgerald séduit l'oreille par une grâce inédite. Qui plus est, Amory ressemble à son créateur par ses aspirations et son parcours. Vingt mille exemplaires se vendent la première semaine. Amory plaît, Scott va plaire aussi. Au point que se crée vite une mode, il faut désormais écrire à la Fitzgerald et le magazine *College Humor's* en fait la recommandation à ses plumes, leur enjoignant d'écrire

« quelque chose comme *L'Envers du paradis* », brillant, plein de séductions et de pas de danse.

Dès l'acceptation du roman, l'idée du mariage a repris vigueur. En novembre, Scott se rend à Montgomery raviver les feux des fiançailles et se joint à la famille Sayre pour la fête de Thanksgiving. Zelda l'attend, fière de lui, accaparée par ses amies, les sauteries, ses leçons de piano et n'oublie pas dans sa lettre de lui demander d'apporter du gin, ajoutant ingénument que, de ce côté, la réputation de Scott est faite pour Mrs Sayre. Broutilles, l'essentiel est qu'elle accepte enfin de l'épouser. C'est l'enchantement. Ils se promènent tendrement au cimetière des Confédérés et l'après-midi idyllique inspirera la nouvelle *Le Palais de glace*. Revenu à New York, il loge à l'hôtel Knickerbocker, fait la fête, prend comme agent Harold Ober – une association entre les deux hommes qui va durer fidèlement plus de vingt ans. À partir de ce moment, s'amorcent les parutions : *The Smart Set* sort cinq nouvelles au cours de l'hiver dont *La Débutante*, *Bleu porcelaine et rose chair*. À Saint Paul, temps calme à Noël, mais il a vent d'une frasque qui donne matière à la nouvelle *Le Dos du dromadaire*, écrite de 8 heures du matin à 7 heures du soir le lendemain. Le prestigieux *Saturday Evening Post* l'achète pour cinq cents dollars. Sans le savoir, Fitzgerald vient d'entrer dans la mythologie des Années folles qui couvrent les dix années entre le traité de Versailles en 1919 et le krach de Wall Street en 1929.

En janvier 1920, Scott se pose pour trois semaines à La Nouvelle Orléans, où, passablement déprimé par le niveau des commentaires littéraires des journaux conservateurs, il écrit, de la pension de famille du 2900 Prytania Street, à Maxwell Perkins en détaillant tous ses projets d'écriture. Il vise essentiellement trois revues pour placer ses nouvelles : *The Smart Set, The Saturday Evening Post* et le mensuel *Scribner's Magazine.* Au-delà du succès personnel, Fitzgerald se préoccupera toujours de la nature de la production littéraire, de sa qualité, de son originalité, parce qu'il a développé à Princeton, et dans les cercles de ses amis, une approche critique sur l'état des lettres américaines du début du siècle et la question de la place et de l'honneur du roman lui tient tant à cœur.

Lorsqu'il rend de nouveau visite à Zelda, le projet de mariage se précise à tel point que bientôt Mrs Sayre lui adresse une lettre où elle fait part de ses réflexions, le prévenant des sautes d'humeur de sa fille. Elle l'assure qu'un catholique est bienvenu dans sa famille épiscopalienne et, malicieusement, lui conseille de s'adresser directement à Dieu plutôt qu'au pape pour assagir Zelda. Mais le jeune amoureux n'entend point la mise en garde ; il reçoit une lettre de sa belle exaltée qui voit le conte de fées toucher à sa fin puisque la princesse devra quitter sa tour dès lors qu'ils vont vivre ensemble. Installé au College Club de Princeton en février, Scott guette la sortie de son roman qui aura lieu le 26 mars et apporte un exemplaire tout chaud à Struthers Burt, un auteur résident, qu'il admire. Mieux encore, c'est maintenant au tour du cinéma de s'intéresser à Scott Fitzgerald. Il envoie le 24 février 1920 un télégramme à Zelda annonçant qu'il vend à la Metro Goldwin Mayer, pour deux mille cinq cents dollars, les droits d'adaptation de *Head and Shoulders*, qui va donner le film *The Chorus Girl's Romance.* Pour fêter l'événement, il offre à Zelda une montre en platine et diamants et un éventail de plumes d'autruche couleur de feu, cadeaux princiers achetés dans les boutiques de luxe de la Cinquième Avenue dont il a tant convoité les objets en vitrine : rien n'est trop somptueux pour la Reine de l'Alabama.

La vie comme anticipation d'un film de Fred Astaire et Ginger Rogers

Dès que Zelda arrive à New York, il l'envoie faire des achats de toilettes avec une amie, conseillère compétente. Ils sont unis le 3 avril 1920 dans la sacristie de la cathédrale Saint-Patrick, elle tient un bouquet d'orchidées. Ludlow Fowler, un condisciple de Princeton, est le témoin de Scott, les sœurs de Zelda, Marjorie et

Clotilde, sont là, mais aucun des parents. Le lendemain du mariage, ils reviennent sur la Cinquième Avenue où Scott lui achète une robe de chez Patou, ils vont prendre le thé dans le salon rouge du Plaza, passent la soirée au théâtre, au premier rang d'orchestre, puis, à minuit, ils montent sur une terrasse où le roi du divertissement, Florenz Ziegfeld, donne une de ses féeries musicales, les *Follies*. C'est l'enchantement, ils sont fous de plaisir et d'amour. La lune de miel se passe au très chic et très cher hôtel Biltmore, où l'on croise les premières têtes coiffées à la garçonne et les robes des Années folles. Ils entrent et sortent, jour et nuit la fête continue, le Tout-Manhattan leur rend visite, en plein culte de la jeunesse dorée. Hilarité, tapage, ils dérangent ; on les prie de quitter les lieux ; ils émigrent au Commodore. Scott écrit à une amie qu'elle se doit de rencontrer Zelda, si belle, si audacieuse, si intelligente : « ... she is a perfect baby » et, selon lui, on ne peut imaginer « couple plus irresponsable »[1]. On ne saurait mieux dire. Leur nom est dans les potins et les journaux, ils vivent dans un cercle de lumière qui se déplace à leur rythme, ils cavalent en taxi, jouant la carte de l'excentricité, bref, ils se mettent en scène et, partout, impressionnent par leur raffinement.

Moments magnifiques ! Scott Fitzgerald tient à son bras la jeune fille de ses rêves. Un second tirage de son

1. *The Romantic Egoists*, *op. cit.*, p. 64.

roman va sortir, le *Saturday Evening Post* publie cinq de ses nouvelles, accompagnées de belles illustrations (dont *Bérénice se coupe les cheveux*, directement tirée de la lettre à sa sœur Annabel) ; il vend un texte pour un film à la Fox pour mille dollars, il est fou de bonheur. Faune aux cheveux blonds, au regard clair et au sourire complice, il vit intensément le rêve américain, cocktail de jeunesse, de gloire et de beauté. Scott et Zelda forment un couple enchanté, vivant chaque instant dans le merveilleux. Ils passent trois jours à Princeton, où Scott est l'invité d'honneur des fêtes. En pleine euphorie, éméchés, ils zigzaguent le soir en voiture, Zelda fait la roue le long de Prospect Street, elle arrive au Cottage Club avec une énorme bouteille de calvados dont elle arrose copieusement les omelettes flambées. Le week-end suivant, c'est de nouveau la fête avec John Peale Bishop et Edmund Wilson, cette fois en l'honneur des anciens rédacteurs du *Nassau Lit*. Après le banquet, ils filent à New York pour rejoindre le défilé du 1er Mai, criant à tue-tête : « Nous sommes les Rouges du Parnasse », puis reviennent sur le campus, font une halte sous les fenêtres de John Grier Hibben, président de l'Université, sonnent chez le professeur Gauss. Fitzgerald porte des ailes, une auréole et une lyre, on le sort du Cottage Club par une fenêtre à l'arrière. Le scandale en irrite plus d'un et Fitzgerald est temporairement suspendu du Cottage Club. Pourtant, quelques semaines plus tard, il reçoit une lettre de félicitations du président

Hibben, qui vient de lire son premier roman, *L'Envers du paradis*.

Mais il est temps de se poser, Scott prend une location de mai à septembre, une maison à Westport, dans le Connecticut, où les jeunes loups du monde du théâtre et des arts de la côte Est passent l'été. Zelda et Scott font un simple aller et retour à Montgomery – 2 000 km – dans leur coupé sport d'occasion, une Marmon qui s'avère une lamentable guimbarde, mais ils prennent sans cesse des photos en couple, dans la voiture, sur le marchepied, sur le capot, devant la belle calandre. Scott écrit un texte sur leur périple chaotique et le tout paraît dans *Motor's Magazine*, sous le titre *La Ballade du rossignol roulant*, car ils sont le couple à la mode.

Le temps d'un tourbillon au milieu des organdis des jupes des filles, on abandonne la voiture et on repart pour regagner la plage, la grande maison de Wakeman Cottage, face à la rivière Sound. On fait des piqueniques à Compo Beach, on flirte dans la rosée, on se dispute pour un baiser volé. Le retour à New York se fait en train ; ivresses, querelles émaillent leurs ébats, qu'importe. De nouveau Scott et Zelda, habillés à l'identique, en knickers blancs, font sensation. Comme toujours ils sont le reflet des rêves d'une génération, ils créent leur paradis artificiel dans la vie belle et oisive d'une adolescence perpétuelle, s'adonnant aux jeux frivoles d'un couple d'opérette. Scott écrit, Zelda joue au golf avec la bonne société.

Plus sérieusement, Fitzgerald est lancé. En juillet *Le Premier Mai* est publié dans *The Smart Set*, la revue bien nommée, qui a toutefois un tirage limité, puis ce sera *Tarquin des beaux quartiers* tandis que le 10 septembre 1920 paraît son premier recueil de nouvelles rassemblées sous le titre *Flappers and Philosophers* (*Garçonnes et Philosophes*), très représentatif de la nouvelle écriture américaine. Critique lucide de son travail, Scott Fitzgerald n'hésite pas à inscrire ses commentaires sur la page de garde de l'exemplaire destiné à son collègue et ami Mencken, qui a publié l'année précédente *La Langue américaine*. Dans le recueil, selon lui, quatre nouvelles, dont *Le Palais de glace* et *La Coupe de cristal taillé* valent la lecture, une est amusante – l'histoire du pirate –, et trois sont nulles, dont *Bérénice se coupe les cheveux*, récit des péripéties capillaires pour garçonne des années vingt. Voilà qui est dit sans ambages.

La vie est chère mais il fait ses comptes, il a gagné trente-cinq dollars en août 1919, trois mille en avril 1920 ; ébloui et confiant, il se prend à imaginer qu'à ce train, en décembre, il en sera à un demi-million. Pourquoi faire des économies ? L'argent qui va s'accumuler va permettre de partir en voyage à l'étranger. L'année 1920 est magnifique, année du droit de vote accordé aux femmes, départ des avancées dans les mondes de la mode, des arts, de la musique, de la littérature : les années « rugissantes », comme les appellent les Américains. C'est l'euphorie : Fitzgerald a tout ce à quoi il aspirait, mais il pressent déjà qu'il ne sera plus jamais aussi heureux. Il a vingt-quatre ans.

Vingt-quatre ans et un bilan éblouissant, malgré quelques blessures, malgré ses échecs à l'université et à l'armée, et les précédents mois de galère à New York, où le jeune couple s'installe à partir du mois d'octobre 1920, dans un appartement bien situé, près de Central Park, au 38 West 59e Rue, fort opportunément proche du Plaza qui leur sert de cantine, offrant tous les services sans les contraintes. Car Zelda est, l'on s'en doute, une ménagère calamiteuse et l'économie domestique est loin d'être son fort ; elle néglige l'entretien du linge de son dandy de mari : que lui importe puisque l'on fait cercle autour d'elle, si attirante et si jolie avec ses cheveux courts. Parfois aussi, elle peut se montrer capricieuse. Ils sortent, reçoivent et boivent beaucoup, se querellent, mais elle lui tient la dragée haute. Les amis de Fitz ne ménagent pas leurs critiques, l'appartement est une porcherie, Zelda interrompt sans cesse Scott et l'empêche de travailler. Elle est à la fois son inspiration et son tourment, aime l'extravagance, réclame un manteau de fourrure à sept cent cinquante dollars, mais il est vrai que son époux en a gagné vingt mille dans l'année. Alors que toutes les élégantes de la Cinquième Avenue portent des manteaux en fourrure d'écureuil roux, Zelda ne jure que par l'écureuil gris. Justement, elle veut qu'il fasse de l'argent rapide avec ses nouvelles, vendues au prix fort au *Post* car il a du talent. Mais lui a une autre ambition : ce qu'il veut, c'est écrire un grand roman. En attendant, on s'amuse, on dépense.

Et sans compter quelques légères déconvenues. Alors qu'il vient de passer à la banque, Scott éprouve des sentiments contradictoires :

– Que se passe-t-il ? a demandé ma femme, un peu anxieuse quand je l'ai rejointe sur le trottoir. Tu as l'air déprimé.

– Je ne suis pas déprimé, ai-je répondu gaiement. Je suis simplement surpris. Nous n'avons plus d'argent.

– Plus d'argent, a-t-elle répété calmement, et nous avons commencé à remonter l'avenue dans une sorte de transe. Eh bien, allons voir un film ! a-t-elle suggéré joviale. Fin de la contrariété, l'essentiel est ailleurs[1].

La belle vie new-yorkaise continue, le tourbillon, l'écartèlement entre l'écriture et les mondanités, dilemme permanent. Scott découvre bientôt avec horreur qu'il n'a plus le sou : avec leur train de vie dispendieux, les Fitzgerald sont aux abois. C'est la plainte

1. *Un livre à soi*, *op. cit.*, p. 32.

du panier percé qui s'écoute dans cette lettre du 31 décembre 1920 adressée à l'éditeur :

« Cher Monsieur Perkins,

Cet après-midi la banque a refusé de me prêter quoi que ce soit au vu de mon solde et voilà une heure que je fais les cent pas chez moi. Avec mon roman qui sera terminé dans deux semaines, j'ai 600 dollars de factures et je dois 650 dollars à Reynolds…

Y aurait-il une façon de voir les choses qui permette de me faire une avance sur mon prochain roman plutôt que sur les ventes de Noël que je ne toucherai qu'en juillet ? Et ce au même taux d'intérêt qu'on pratique pour Scribner. Ou pourriez-vous me consentir un prêt d'un mois de chez Scribner avec comme garantie de mes dix prochains livres. J'ai besoin de *1 600 dollars.*

En toute anxiété,

Scott Fitzgerald[1]. »

Fitzgerald mesure bien qu'il est publié dans une excellente maison d'édition, Charles Scribner's Sons, sur la Cinquième Avenue, à la 48e Rue, qui compte à son catalogue Henry James, Edith Wharton, et, pour la partie anglaise, Stevenson, Galsworthy, Meredith – bref les meilleurs classiques. Fitzgerald semble un peu frivole au

1. *A life in letters*, *op. cit.*, p. 44.

patron, Charles Scribner, qui fait cependant confiance au flair de Perkins, l'homme de Boston et Harvard, un puritain discret à la recherche d'oiseaux rares et de jeunes poètes incandescents. Dans l'auguste maison, Fitzgerald paraît quelque peu exotique, mais toujours bien élevé, chaleureux et gai lorsqu'il vient juste dire bonjour en passant, les yeux cernés après une nuit sur ses grimoires. Généreux, il passe aussi du temps sur les textes des autres, convaincu que l'Amérique doit se démarquer des modèles anglais, qu'il faut défendre la littérature autochtone, car la renaissance des lettres américaines est amorcée avec des noms tels que Sherwood Anderson ou Theodore Dreiser. La critique littéraire s'en mêle : *L'Envers du paradis* suscite un flot d'articles élogieux, le roman est bientôt en tête des commandes des bibliothèques publiques pour l'ensemble des États-Unis et pour les États du centre-nord, il est en sixième position dans ceux de l'Ouest et de l'Atlantique-Sud. Pour *Vanity Fair*, Edmund Wilson et John Peale Bishop, les compères de Princeton qui parlent latin entre eux dans leur bureau, suivent le nouvel écrivain, leur ancien condisciple, sans favoritisme ni indulgence. Ils rassemblent des bribes de documents, des coupures de presse avec leurs petites phrases : « Plus qu'un best-seller, un tonique national », « Faites un Noël Fitzgerald », quelques menus objets pour faire chez Scribner une vitrine dédiée à Fitzgerald, un petit pot-pourri délicieux avec un exemplaire original des poèmes de Rupert

Brooke dont un vers donne son titre au roman, une casquette des armées d'outre-mer à l'état neuf, un miroir, le premier costume sur mesure de la boutique des Frères Brooks porté par le jeune Scott, une photo de l'équipe de football de Newman, contresignée et authentifiée par le directeur, où Fitzgerald est assis au premier rang, troisième à gauche. On le voit. On l'exhibe. Il existe. Il est en vitrine.

Dans le même temps, Scott songe à mieux se faire connaître des rédacteurs des revues qui ont publié ses nouvelles, et à se rapprocher de *The Smart Set* en particulier, où travaillent George Nathan et Henry Mencken. Le premier se lance dans la critique théâtrale, c'est un dandy qui adore les premières où il invite les Fitzgerald, si spectaculaires et brillants. D'un naturel blagueur, Nathan envoie des billets doux primesautiers à Zelda, et rendra plusieurs visites à la petite maison d'été de Westport, en prenant soin d'apporter des caisses de gin. Il plaisante avec Tana, la petite bonne japonaise, qu'il veut tout simplement transformer en espionne pour tout savoir sur la cave de Fitzgerald. On s'amuse. Quant à Mencken, bon vivant, amateur de bière et de fruits de mer, de cigares et de beau langage, il enchante Fitzgerald par ses bons mots et son cynisme joyeux.

Au-delà du cercle magique des littéraires et des fêtards, la société américaine est en désordre, on apprend le truquage des matchs de baseball, l'étendue des escroqueries en courtage. Charles Pozzi fait son montage en pyramide pour drainer les placements par coupons postaux, il devient millionnaire en six mois grâce à environ quarante mille investisseurs alléchés par une spéculation au rendement de 40 % en quatre-vingt-dix jours, jusqu'à l'éclatement de la bulle lorsqu'on découvre le pot aux roses. La fraude et la corruption amènent leur gangrène et leurs gigantesques pots-de-vin. S'y ajoute le scandale du Teapot Dome, où l'Amérique stupéfaite apprend qu'un champ pétrolifère concédé aux réserves de la Marine nationale a été loué en sous-main à une compagnie pétrolière. Gangstérisme, bootleggers, rien ne manque au tableau d'une société guettée par l'intolérance et le nationalisme ; les anarchistes Sacco et Vanzetti sont arrêtés, il y a des rafles chez les communistes. C'est le temps des fortunes rapides, l'argent est partout, insolent, extravagant. Nul n'échappe à son poison. Zelda dépense allègrement et Scott s'est même trouvé un bootlegger personnel, pourvoyeur de gin et de whisky, sans oublier le bourbon – appartenance au Sud et à l'Alabama oblige –, car en 1920 est votée la loi sur la prohibition. Et Zelda apparaît à peine dissimulée dans le personnage de la coquette Rags Martin Jones dans la nouvelle éponyme : « La vie n'est pour moi qu'une série de bazars illuminés ; au seuil de chacun se tient un marchand qui se frotte les mains en s'exclamant : "Donnez-moi votre clientèle. J'ai le meilleur bazar du monde." Alors j'entre avec mon portefeuille tout plein de beauté, d'argent et de jeunesse, prêt à acheter[1]. » Tout est argent, tout est trafic et les femmes s'émancipent, Zelda est une convertie de la première heure. Le revenu des Fitzgerald tourne autour de vingt mille dollars par an : ils rêvent d'un bébé et d'un voyage avec une longue halte à Paris, car Scott lit le français.

Jazz, gin et diamants

New York les adule toujours, mais, en avril 1921, ils veulent partir : adieu appartement, fumée, bouteilles, visiteurs à toute heure, sacs de blanchisserie. Le jour du départ pour l'Europe, Scott a un bandage et un œil au beurre noir, suite à une raclée infligée par un videur du Jungle Club, une boîte à la mode avec une piste de danse, des garçons en queue-de-pie et cravate blanche, qui voulait l'empêcher de revenir au bar, une fois de plus, une fois de trop. Ils sont les enfants du jazz et du gin. Zelda, qui attend un enfant, change les billets pour la semaine suivante et ils embarquent le 3 mai sur le paquebot *Aquitania,* de la Cunard. Dans une féerie nocturne, on lève l'ancre à 2 h 58 du quai de la compagnie, à New York. La traversée sur une distance de 3 242 miles

1. *Les Enfants du jazz*, p. 414.

marins est prévue en six jours, six heures et dix minutes, le document de bord en fait foi. Scott épluche la liste des passagers, en quête de célébrités. Première escale à Cherbourg, au petit matin, puis Southampton.

Leur arrivée à Londres coïncide avec la sortie de *L'Envers du paradis*, alors que le roman en est à sa onzième édition aux États-Unis – un véritable raz-de-marée éditorial. Ils descendent à l'hôtel Cecil, sur le Strand, prennent le thé chez l'ami Shane Leslie qui devient leur cicérone et leur rappelle opportunément que les intellectuels britanniques ne boivent pas. Ensemble, ils assistent à la relève de la garde à Buckingham Palace où Zelda s'amuse des grenadiers de Sa Majesté qu'elle appelle les Peaux-Rouges, Zelda qui est alors une poupée adorable, une petite geisha. Ils vont dans les quartiers glauques de Londres, arpentent les rues de Wapping et Limehouse, lieux hantés par l'ombre de Jack l'Éventreur. Le 16 mai, ils sont au théâtre de la Gaieté sur New Bond Street, ils déjeunent avec Lady Randolph Churchill et son fils Winston, charmé par la conversation de Zelda ; l'écrivain John Galsworthy les convie à dîner chez lui, à Grove Lodge, dans le beau quartier de Hampstead. En invité soucieux de faire plaisir à son hôte, Fitzgerald lui fait part de son admiration, assurant Galsworthy qu'il est au nombre de ses écrivains vivants préférés avec Joseph Conrad et Anatole France. Excursion à Windsor et Grantchester :

on prend des photographies à chaque halte, Scott porte un costume trois-pièces, un chapeau mou de la griffe Knox et une canne à pommeau d'argent. Théâtre encore, épistolier toujours et de belle humeur, il écrit une lettre à Shakespeare :

Stratford-sur-Avon
8 juillet 1595

« Cher Will,

Ta famille ici a terriblement honte de toi : comment as-tu pu écrire une pièce aussi ordurière que *Troïlus et Cressida* ? Et les gens ici (M. Bœuf, le boucher et M. Mufle, le croque-mort) me disent qu'ils ne vont pas se contenter d'un esprit brillant et d'un style agréable. Si tu veux vraiment compter, il faut qu'on puisse avoir du respect à la fois pour toi et ton travail.

Affectueusement,

Ta mère,
Mme Shakespeare »

Scott et sa jolie garçonne font un saut à Paris, s'assoient une heure face à la demeure d'Anatole France, espérant apercevoir le vieil écrivain, en vain, puis rentrent à l'hôtel où ils sont priés de quitter les lieux au bout de quelques jours, Zelda ayant pris l'habitude de bloquer l'ascenseur à l'étage avec sa ceinture le temps de se préparer pour le dîner. Qu'à cela ne tienne, on va aux Folies-Bergère, puis c'est une visite à Versailles et à la Malmaison avant le départ pour l'Italie : Florence le 3 juin, Fiesole et son panorama ; Rome le 8, les ruines, le Vatican ; Venise et ses gondoles : les Fitzgerald sont des touristes pressés, médiocrement intéressés par les sites, car ils aiment les contacts et les mondanités. Si bien qu'ils reviennent à Londres, font un tour à Oxford qui correspond en tout point à leurs lectures et à leurs attentes. Les voici à Trinity College à Cambridge le 4 juillet et, le soir, ils dansent au bal chic du Savoy. Sans cesse ils se photographient, à chaque halte, elle aime son « Grand Dadais », son « Goofo », comme elle appelle Scott amoureusement. Ils prennent un petit chien aussitôt appelé Doc. Ils voudraient prolonger le séjour mais les critiques sur *L'Envers du paradis* les déçoivent un peu, si bien qu'ils manifestent de l'humeur contre ce continent pour antiquaires et décident de rentrer aux États-Unis, s'empressant de refaire leur garde-robe dans les meilleures boutiques de Londres avant le départ. C'est alors la volupté des traversées transatlantiques, la glorieuse arrivée. Le *Majestic* glisse sur les eaux du port de New York par un beau matin d'avril : « Il renifla au nez des remorqueurs et des bacs à l'allure de tortue, adressa un clin d'œil à un jeune yacht aguicheur et, d'un coup de sirène revêche, écarta de son chemin un transport de bestiaux. Puis il s'amarra à son quai personnel avec autant de manières qu'une grosse dame qui s'assied, et annonça complaisamment qu'il venait de Cherbourg et Southampton en transportant à son bord l'élite du monde[1]. »

Petite halte sentimentale à l'hôtel Biltmore à New York, à peine le temps d'aller au cinéma voir leurs films préférés, ceux du grand acteur comique Harold Lloyd et ceux de Chaplin dont *The Kid* vient de sortir, puis cap vers le Sud et la fournaise du vieil Alabama. Ils sont le 27 juillet à Montgomery, où ils envisagent d'acheter une maison pour s'enraciner en prévision de la naissance de leur enfant. L'auréole de la gloire les accompagne : Scott est entré dans l'édition de 1921 du *Who's Who in America*, donnant un article biographique bref où il se déclare socialiste. Trois de ses œuvres ont désormais donné lieu à des adaptations cinématographiques : *The Chorus Girl's Romance, The Husband Hunter* et *The Offshore Pirate.* Sous le titre « Le romancier de la génération montante », les journaux font paraître un encart avec le profil gauche de Fitzgerald, et ses deux livres, roman et recueil de nouvelles, assorti d'un bon de commande. Le succès continue.

Changement de programme, il fait très chaud à Montgomery et Zelda est priée de quitter la piscine car les femmes enceintes ne peuvent s'y montrer en maillot de bain, pudeur oblige. Au bout d'un mois, il est décidé

1. *Les Enfants du jazz*, p. 405.

que l'enracinement se fera à Saint Paul où, dès leur arrivée, la presse salue leur retour par un article avec une photo de Zelda, « la mariée ». Ce retour s'apparente à un triomphe : beau, jeune, en plein succès, tel est désormais Fitzgerald dans sa ville natale. Il loue pour l'été une maison à Delwood, sur les bords du lac de l'Ours blanc ; ils prennent pension au Yacht Club où il reçoit les journalistes à qui il confie qu'il a trois romans en tête. Pas moins ! Mais il note pourtant dans son journal intime très lapidaire que le chien couine et que Zelda est fatiguée. Si Scott leur semble plein d'allant, ce n'est pas tout à fait vrai car les cinq mois passés dans l'oisiveté l'ont déprimé : cette mollesse intellectuelle ne lui convient pas et, de plus, il est inquiet en cette fin de grossesse de Zelda. Ils reviennent à Saint Paul, à l'hôtel Commodore. Scott retrouve ses parents pour la première fois depuis son mariage : une mère grotesque, un père très élégant et sans projet, un couple absurde à ses yeux. Le face-à-face avec son passé donne lieu à une sorte de bilan, sous forme de confession mêlée de fiction.

En septembre, paraît dans *American Magazine* un texte de Fitzgerald intitulé « Ce que je pense et ressens à vingt-cinq ans ». Au début du récit, l'auteur est abordé par un vieil homme puis par un journaliste :

> « Mr Fitzgerald, une rumeur circule à New York selon laquelle vous et – euh – Mrs Fitzgerald allez

vous suicider à l'âge de trente ans parce que vous détestez et redoutez l'idée de vieillir. Je veux vous faire de la publicité en faisant de cette histoire l'article à la une de cinq cent quatorze journaux du dimanche. Dans un coin de la page, on verra…

– Non, me suis-je écrié. Je sais : dans un coin, on verra un couple fatal, elle avec une glace à l'arsenic, lui avec une dague orientale. Tous les deux auront le regard fixé sur une grosse pendule, sur le cadran de laquelle seront gravés un crâne et deux tibias croisés, un grand calendrier avec une date cerclée à l'encre rouge.

– C'est ça ! a dit le type avec enthousiasme. Vous avez parfaitement compris l'idée. Maintenant ce que nous…

– Écoutez ! ai-je dit sur un ton sévère, il n'y a rien de fondé dans cette rumeur. Absolument rien[1]. »

Le mélange de dérision et d'angoisse peut surprendre chez le jeune écrivain qui va de fête en fête et semble s'amuser de la vie. Mais il est lucide, inquiet comme tous les dandys, pris dans la ronde des vanités, inlassablement penchés sur leur miroir, si bien qu'il ajoute : « Bien, j'ai maintenant vingt-cinq ans et je ne suis plus immature, du moins pas au point de le constater quand je me regarde dans un miroir ordinaire. D'immature je suis

1. *Un livre à soi*, *op. cit.*, p. 18-19.

devenu vulnérable. Je suis vulnérable à tous égards[1]. »
Cette vulnérabilité ne va plus le quitter. Voici le portrait qu'en donne Antoine Blondin : « Le regard fardé de cils de Rudolph Valentino, la chevelure partagée d'Henri Garat, un menton glabre, allongé en péninsule qu'on retrouve chez certains trois-quarts aile irlandais, la silhouette déliée comme un fleuret de Jean Giraudoux, composent une figure qui appelle tous les trésors de la terre mais les tient à distance. La mélancolie gloutonne où baigne le sourire ne trompe pas : ce beau carnassier est vulnérable. Peut-être même est-il déjà blessé[2]. » La blessure, et plus tard la fêlure, marquent déjà sa vie.

Le bébé de Zelda, elle-même appelée la « Jazz Baby », est très attendu. C'est une petite fille qui naît le 26 octobre 1921. On l'appelle brièvement Patricia mais lorsque la presse en parle c'est sous le prénom de Scottie, en hommage à son père. Elle s'appelle en réalité Frances Scott et deviendra la Scottina, Scottie chérie, Pie chérie (ma petite tourte, ma petite tarte, comme dans *apple pie*), au fil de la correspondance de son père, quelques années plus tard. Sa mère la trouve très mignonne tout en étant déçue que ce soit une fille. Pour l'heure, les télégrammes de félicitations affluent à l'hôtel Commodore, et Scott, de son côté,

1. *Ibid.*, p. 20.
2. Antoine Blondin, préface à *Gatsby le Magnifique*, Le Livre de poche, p. 1.

en envoie un à ses parents : « Lilian Gish porte le deuil…, une seconde Mary Pickford est née… » Les deux éternels adolescents sont désormais parents, ils prennent une maison au 646 Goodrich Avenue. L'enfant est baptisée en novembre. Dès l'hiver, Scott et Zelda s'ennuient terriblement à Saint Paul où il fait moins onze degrés, rude climat pour une belle du Sud.

Impatient de retrouver New York, Fitzgerald annonce en décembre 1921 à son agent, Harold Ober, qu'il se lance dans l'écriture d'une pièce de théâtre qui va faire sa fortune à Broadway. Cette attirance pour l'estampille de Broadway, qui garantit gloire et succès, s'explique aisément car, dans les années vingt, la diagonale de Manhattan est le lieu de tous les bouillonnements. Lorsqu'au sortir de l'armée il est arrivé à New York en 1919, les Washington Square Players et la troupe de Provincetown brûlent les planches, les productions de la Guilde du Théâtre affichent Tchekhov, Strindberg et Bernard Shaw avant de passer à un répertoire américain. Dans la semaine de leur mariage, Scott et Zelda ont assisté à une revue des *Ziegfeld Follies*, un divertissement féerique à grand spectacle à la gloire de l'American Girl, tout un plateau de filles en plumes, strass et talons aiguilles. Scott sait qu'une colonie d'artistes pleins de vitalité s'est installée à Greenwich Village et que tous observent un nouveau venu : Eugene O'Neill. Son nom est très connu car son père, James, a fait une longue carrière sous la perruque, le jabot et l'habit d'Edmond Dantès et il a joué plus de six mille fois un *Comte de Monte-Cristo* qui lui a rapporté plus de huit cent mille dollars. Son fils Eugene, enfant de la balle, prend ses distances mais dans un tout autre registre : il va dominer la scène américaine pendant quatre décennies et recevoir le prix Nobel en 1936. Pour l'heure, Eugene O'Neill intéresse Fitzgerald car il propose des pièces courtes, fortes, tels *The Emperor Jones* en 1920, *Anna Christie* en 1921 et *Le Singe velu* en 1922, avant de se consacrer à la tragédie avec *Le désir sous les ormes* (1924), puis *Le deuil sied à Électre*. Chacun sent bien que l'honneur de la création américaine se joue là, que l'argent de ces années se dépense à flots dans les soirées des comédies musicales. Pour Scott Fitzgerald, la fascination est totale à la vue des limousines qui déversent des belles en décolleté, fourrures et bijoux aux abords de Times Square où les noms scintillent sur la façade des théâtres. C'est l'évidence : il faut absolument briller à Broadway.

Le rêve d'une apothéose au théâtre s'accompagne en sourdine de comptes d'apothicaire. Fitzgerald continue de tenir scrupuleusement le total de ses gains sur un grand cahier dans lequel il note à la main le montant des à-valoir et des droits d'auteur. Chaque nouvelle a son prix, son éditeur, le tout en dix colonnes précises sur les dates d'écriture, de soumission, d'acceptation et de publication, une chronologie pointilleuse. Fitzgerald ouvre une rubrique littéraire dans l'édition new-yorkaise du *Tribune.* Mais il faut bien sortir, s'amuser, danser. En janvier, ils vont au bal, chacun son style – Zelda adepte de l'improvisation libre, Scott de la perfection métrique. En février, les voilà tous deux malades, ils boivent un peu trop. Le 5 février, Fitzgerald demande à Harold Ober une avance de cinq cents dollars sur la nouvelle *L'Étrange Histoire de Benjamin Button*, en même temps qu'il met en cause le choix des éditeurs qui parfois refusent ses textes pour en accepter d'autres de moindre valeur littéraire.

Bouillonnant d'idées, Fitzgerald a lancé à Saint Paul l'idée d'un bal « porte-malheur » au club de l'Université, accompagné d'une revue satirique qui s'achète moyennant un doux baiser, c'est l'échec total et donc la déception, car la plaisanterie paraît iconoclaste aux yeux de ce public fort éloigné des facéties de Princeton et Manhattan. Qu'à cela ne tienne, Fitzgerald rebondit. Il écrit à Edmund Wilson que le bébé se porte bien et qu'ils font briller devant ses yeux des pièces d'or, dans l'espoir qu'elle épouse un millionnaire. L'argent, toujours l'argent qui permet de séduire et de s'étourdir. Son roman *Les Heureux et les Damnés*, publié en feuilleton de septembre 1921 à mars 1922 dans *The Metropolitan Magazine*, sort à présent en livre. Zelda a dessiné un projet de couverture, une femme légèrement vêtue, de profil, dans une coupe de champagne. Il sort sous jaquette orange, passe pour être l'histoire d'une garçonne dans le labyrinthe de la vie moderne et se vend à cinquante mille exemplaires. Zelda est sollicitée pour écrire un éloge de la garçonne – 2 500 mots à 10 cents le mot –, si bien que paraît dans la presse une chronique sur trois colonnes signée « Zelda Sayre (Mrs Scott Fitzgerald) », premiers signes de l'espoir de l'épouse de sortir de l'ombre d'un mari célèbre, qui le devient de plus en plus : une caricature de journal la représente au côté de John Dos Passos et Scott Fitzgerald avec la légende en français : « Les enfants terribles ».

Pour fêter dignement la sortie du roman *Les Heureux et les Damnés*, Scott et Zelda passent une quinzaine de jours à New York, satisfaits d'être les stars d'une réception sans fin. Fitzgerald étudie les catalogues des maisons d'édition, Doubleday, Modern Library et les autres, furète dans les librairies, si bien qu'au retour à Saint Paul, il écrit à Charles Scribner pour lui suggérer de lancer une collection populaire à moins de un dollar à seule fin de mieux diffuser la littérature américaine. Outre son nom, figurent dans la liste Henry James, Edith Wharton et, en guise de locomotive, Robert Louis Stevenson et son *Île au trésor*. Fitzgerald fait campagne pour une société nouvelle, plus affranchie, pour une littérature nouvelle qui chante les États-Unis. *Les Heureux et les Damnés* tiennent toujours le devant de l'actualité et son agent Harold Ober lui télégraphie que Warner

Bros offre deux mille cinq cents dollars pour les droits d'adaptation du roman. Il faut rendre réponse par retour. Les studios de cinéma achètent aussi *L'Envers du paradis*, mais le film ne sera pas tourné.

Désormais, l'avant-garde est leur chasse gardée. Zelda est dans le vent depuis plusieurs saisons et, elle le sait, le vent est à la démesure et elle adore l'excès. Des croquis la représentent assise, cheveux courts ondulés, escarpins à talons aiguilles, jupe de mousseline volantée, grand châle sur décolleté. Cigarette au doigt, bouteilles semi-vides à ses pieds, elle personnifie la garçonne pour l'illustration du vaudeville de son époux *Midnight Flappers* (*Les Garçonnes de minuit*), écrit par Scott pour le gala annuel de la Junior League de Saint Paul, heureux de retrouver, en ce printemps 1922, l'esprit des divertissements de ses années d'étudiant à Princeton.

Ces jeunes filles qu'il côtoie, le temps des répétitions et du lancement du spectacle, le font réfléchir sur le temps qui passe ; ainsi livre-t-il ces réflexions douces-amères :

> « Je n'aime pas les gens vieux. Ils parlent toujours de leur « expérience » – et très peu d'entre eux en ont une. En fait, la plupart d'entre eux persistent à répéter les mêmes erreurs à cinquante ans et à croire la même liste immaculée de mensonges à vingt carats

certifiés, qu'ils croyaient à l'âge de dix-sept ans. Et tout commence avec ma vieille amie vulnérabilité.

Après trente ans, le mari et la femme savent tous les deux au fond de leur cœur que la partie est jouée. Sans avaler quelques cocktails, toute conversation devient une torture. Elle n'a plus rien de spontané, ce n'est plus qu'une convention grâce à laquelle ils acceptent de fermer les yeux sur le fait que les hommes et les femmes qu'ils fréquentent sont fatigués, ennuyeux et gros et qu'ils doivent s'en accommoder aussi poliment que possible, tout comme on s'accommode d'eux.

J'ai rencontré beaucoup de jeunes couples heureux – j'ai rarement vu un foyer heureux après que l'homme et la femme ont passé l'âge de trente ans[1]. »

En juin, pour la durée du bel été, les Fitzgerald s'évadent de Saint Paul et s'installent au Yacht Club du lac de l'Ours blanc. Scott revient sur les lieux de son adolescence et de ses premiers succès. Toujours en avance, toujours sans trêve, il se plonge tout entier dans l'écriture de la pièce qui doit, pense-t-il, le rendre riche à vie.

1. *A Life in Letters*, *op. cit.*, p. 26-27.

Sur la baie de Great Neck, le prophète de sa génération

L'envie lui vient, après l'été au bord du lac avec les plaisanciers, d'être à New York, là où bat le pouls du monde littéraire, dans l'effervescence des rencontres d'artistes. À la mi-septembre, pour prospecter sur place, ils descendent au Plaza à Manhattan, où ils rencontrent John Dos Passos qui vient de publier *Trois Soldats.* Scott l'invite bientôt à déjeuner avec Sherwood Anderson. Ils vont ensuite à une fête foraine, Zelda et Dos Passos font un tour sur le grand huit, il trouve dans le regard de la jeune femme une lueur étrange, une flamme bizarre. Les Fitzgerald cherchent à s'installer d'abord dans un appartement mais, décidant de renoncer au tapage, ils font le choix de l'espace et de la belle compagnie, en jetant leur dévolu sur l'adresse du 6 Gateway Drive, à Great Neck, à vingt-cinq kilomètres de Manhattan, une maison louée trois cents dollars par mois. Avec trois domestiques et une Rolls Royce d'occasion, ils s'y installent de la mi-octobre 1922 à la mi-avril 1924. Nick Carraway, le voisin et ami de Gatsby, décrit les lieux dans les premières pages de *Gatsby le Magnifique* : « Cette île mince et turbulente qui s'allonge à l'est de New York et où – entre autres curiosités naturelles – on remarque deux formations de terrain peu ordinaires. À vingt milles de la grande cité, une paire d'œufs énormes, identiques quant au contour et séparés seulement par une baie, ainsi nommée par pure courtoisie, s'avancent dans la nappe d'eau salée la plus apprivoisée de l'hémisphère occidental, cette vaste basse-cour humide qu'on appelle le détroit de Long Island. Il ne s'agit point d'ovales parfaits – comme l'œuf de Christophe Colomb, ils sont tous les deux aplatis, à leur point de contact –, mais leur ressemblance physique doit être une source de confusion perpétuelle pour les mouettes qui volent au-dessus d'eux[1]. »

L'œil est attiré en novembre par un entretien au titre accrocheur, tout en allitérations : « *Fitzgerald, Flappers and Fame* » (« Fitzgerald, les garçonnes et la gloire »). C'est le thème à la mode, aux États-Unis et en Europe, Zelda le sait mieux que tout autre. Et la mode va s'amplifier, lancée par l'article élogieux sur la garçonne déjà paru sous la signature de Zelda Sayre Fitzgerald en juin 1922, qui capte l'air du temps, l'air de Manhattan et celui de l'Europe. Paris n'est pas en reste, début juillet 1922, des placards vantant les mérites du roman *La Garçonne* de Victor Margueritte fleurissent sur les murs. Les commentaires vont bon train sur tant de bassesses promises au service d'une pure et éclatante beauté, celle de la garçonne évoquée deux ans plus tôt dans le titre du

1. *Gatsby le Magnifique*, *op. cit.*, p. 28.

recueil de Fitzgerald. Dessins, affiches et journaux donnent les reflets émoustillants de l'ivresse de l'après-guerre. Les dancings sont partout, le dernier parfum à la mode s'appelle *Vierge folle*, Mistinguett triomphe au Casino de Paris avec *En douce*, et part à Deauville, où elle accueille les jolies filles et s'amuse à leur couper les cheveux. Les caricaturistes s'en donnent à cœur joie, croquant le monde des fêtards, Poulbot représente une jeune fille zigzagante et gaie sous les yeux ahuris d'un maître d'hôtel : « Mais Mademoiselle est ivre ! » lui murmure-t-il, ce à quoi elle répond : « Attendez, vous allez rigoler quand vous verrez maman ! »

Les femmes veulent vivre leur vie à leur guise, en fières amazones. La dernière conquête du féminisme, les cheveux coupés, va de pair avec le succès de librairie de *La Garçonne*, vendu à sept cent mille exemplaires. Si l'auteur, second fils du général Margueritte, a un véritable sens de la publicité, il n'empêche qu'il sait exploiter les frémissements de l'avant-garde féminine et la garçonne va donner au public une coupe plaquée avec la nuque rasée, une forme de robe, un parfum, un modèle de poupée, une pièce de théâtre et trois incarnations au cinéma : France Dhelia, Marie Bell et Andrée Debar. Diatribes, scandales, tout passe et ne reste bientôt plus que le triomphe d'une femme libre.

Dans l'esprit de Scott Fitzgerald germent déjà d'autres projets ; il s'en ouvre à son éditeur en proposant un roman catholique situé dans les années 1885 entre le Midwest et New York. En même temps il travaille à la pièce de théâtre destinée à Broadway. La nouvelle *Un diamant gros comme le Ritz* paraît en juin dans *The Smart Set*. En septembre, le 22, c'est la sortie en librairie du recueil de nouvelles *Les Enfants du jazz*, qu'il dédie curieusement à sa mère. L'antiphrase ne manque pas de piquant, mais il est toujours temps de revendiquer un talent et un mode de conduite face à ses parents : Scott pose clairement sa différence. À la rentrée de 1922, son nom est dans toutes les gazettes, il s'est installé à Great Neck.

Il va sans dire que les Fitzgerald ont choisi le rivage le plus chic. Ils engagent une nurse pour Scottie à quatre-vingt-dix dollars par mois, puis un couple qui va faire fonction de majordome et cuisinière, de jardinier et femme de ménage, de chauffeur enfin pour les allées et venues vers la grande ville et les terrains de golf – où Zelda est meilleure joueuse que Scott – et les demeures des amis. Une blanchisseuse vient deux fois par semaine et coûte trente-six dollars par mois. Par-dessus le marché, ils achètent d'occasion un coupé Rolls, qui fait grand effet, et commencent allègrement ce que Scott appelle une vie de nouveaux riches, fiers d'eux-mêmes, du bébé et de leur vie. Il n'empêche qu'ils achètent un nouveau grand cahier de comptabilité où Zelda consigne par colonnes leurs dépenses et les rentrées d'argent. De son côté, Scott a toujours minutieusement noté, dès ses débuts, sur un carnet, le détail de ses publications et ses gains : c'est donc chez lui une habitude qu'il conservera, bien ancrée au fil des années, et qu'il transpose à la vie domestique.

À Great Neck, on mène grand train. La demeure est somptueuse, à une heure de Broadway. Très vite, les célébrités du monde du spectacle, comédiens, producteurs, Ziegfeld lui-même, Samuel Goldwyn sont les invités de leurs soirées. Les Fitzgerald fréquentent aussi leurs voisins, souvent très riches, comme Swope, le journaliste sportif à la mode, ou encore Buck, fondé de pouvoir de Ziegfeld. Au départ, c'est l'éblouissement permanent : on reçoit, on file à New York, on joue avec Fritz, le berger allemand primé dans plusieurs concours, certains invités s'installent carrément à demeure. Dans le voisinage, on trouve également le général Pershing et bien d'autres personnages éminents, repliés sur la baie. Plus proche, Ring Lardner, brillant journaliste et essayiste, écrivain à ses heures et maître de l'humour noir, qui boit beaucoup. Il admire Zelda à qui il envoie des épigrammes, se lie d'amitié avec Scott ; ensemble, ils boivent et refont le monde dans leurs interminables conversations nocturnes. Les journaux populaires du dimanche, dans leurs potins mondains, racontent les préférences de Scott, notant qu'il aime les hors-d'œuvre relevés plutôt que les repas copieux, qu'il apprécie l'écrivain Mencken, les fiacres anglais de Central Park et les *Ziegfeld Follies* où Zelda envisage de danser au cas où elle devrait un jour gagner sa vie. Invités aux soirées, ils arrivent parfois tard, après minuit, Scott fait des tours de cartes et parle de son roman en cours d'écriture, ce qui l'irrite car il suppose réclusion et chasteté totales. Zelda et Scott font l'effet d'une apparition enchantée, beaux, quasi célestes ; on les retrouve souvent dormant sur un sofa dans les bras l'un de l'autre, rompus lorsque Zelda a beaucoup flirté avec les jeunes gens et que Scott a beaucoup charmé l'assistance. Ils étonnent, on veut les connaître, on veut les inviter. Il n'empêche, Scott reste lucide lorsque, dans son journal, il définit 1922 comme une année de confort, de danger, une année où le sol commence à s'affaisser sous leurs pieds.

C'est que la vie est très chère dans cette petite ville de nouveaux riches, véritable filon pour les commerçants. Bouchers, poissonniers, traiteurs s'y installent, ils sont bientôt dix-huit dans la rue principale qui attendent le chaland, le sourire enjôleur. Mais comme ils sont trop nombreux, ils en font trop et, pour se maintenir et survivre, augmentent artificiellement les prix. Les Fitzgerald comptent et recomptent, il leur faut mille six cents dollars par mois. Au livre de comptes de Scott s'ajoute un classeur des dépenses domestiques. Ensemble, Scott et Zelda calculent, crayon en main, la moyenne mensuelle des dépenses domestiques pour 1923 :

Impôt sur le revenu	198,00
Nourriture	202,00
Loyer	300,00
Charbon, bois, glace, électricité, gaz, téléphone et eau	114,50
Domestiques	295,00
Clubs de golf	105,50
Vêtements trois personnes	158,00
Docteur et dentiste	42,50
Médicaments et cigarettes	32,50
Automobile	25,00
Livres	14,50
Autres dépenses domestiques	112,50
Total	$ 1 600

Ils se donnent un satisfecit, en notant toutefois deux postes élevés, les frais de bouche et les domestiques, frais difficiles à réduire sauf à prendre une servante unijambiste, comme le suggère Scott, pour réduire un salaire d'un quart. Reste à évaluer le coût des menus plaisirs, qui englobent de-ci delà une nuit, un repas à New York pour ces banlieusards dorés, golf et cheval, le bridge, les parties de dés et les paris sur le football. Scott et Zelda dressent une seconde liste.

Notes d'hôtel	51,00
Voyages	43,00
Billets de théâtre	55,00
Barbier et coiffeur	25,00
Charité et prêts	15,00
Taxis	15,00
Jeu	33,00
Réceptions dans les restaurants	70,00
Réceptions à la maison	70,00
Dépenses diverses	23,00
Total	$ 400,00

Les voilà éclairés et perplexes à la fois ; ils savent où file l'argent, soit deux mille dollars par mois en tout, selon leur estimation. Or, selon leurs relevés bancaires, ils viennent bel et bien, le mois précédent, d'en dépenser trois mille. Ils comptent et recomptent pendant une heure pour traquer cette fuite et finissent par conclure qu'à ce train ils vont, à l'évidence, perdre douze mille dollars par an. S'en ouvrant à leurs voisins, ils découvrent qu'il est sage de faire un budget et de s'y tenir, en somme de couper le gâteau des revenus en tranches. Le jeune couple va prendre de bonnes résolutions, mais pour Zelda, une seule évidence s'impose : Scott doit écrire, vendre ses histoires aux magazines, quitte à donner des fragments de leur vie, à commencer par cet épisode, devenu *Comment vivre avec 36 000 dollars par an*, qui paraît le 5 avril 1924, puis *Comment vivre de rien ou presque à l'année*, le 20 septembre, deux histoires achetées par le *Saturday Evening Post*. Il faut donc faire feu de tout bois, se raconter avec légèreté :

> « Depuis le casino voisin dérivait une étrange musique rococo – une chanson qui traitait de la non-possession d'un fruit jaune bien spécifique dans une épicerie par ailleurs bien achalandée. Des garçons, sénégalais et européens, couraient entre les baigneurs en portant des cocktails de toutes les couleurs, s'interrompant parfois pour chasser les enfants des pauvres, qui s'habillaient et se déshabillaient sans pudeur et sans gêne non plus sur le sable.
>
> "Est-ce que ce n'était pas un bon été ? a dit le jeune homme, d'une voix paresseuse. Nous sommes devenus complètement français.
>
> – Et les Français ont un tel sens de l'esthétique, a dit la jeune femme, en écoutant un instant la chanson de la banane.
>
> – Ils savent bien vivre. Pense un peu à toutes les bonnes choses qu'ils ont à manger !
>
> – Délicieuses ! Divines" s'est exclamé le jeune homme[1]... »

1. *Un livre à soi*, *op. cit.*, p. 62-63.

L'épisode s'achève par l'addition portée par le serveur sénégalais, soit dix francs pour deux bières, sitôt acquittée en ferraille dorée pour l'équivalent de soixante-dix cents. Fitzgerald compare les prix avec l'Amérique – boissons, parfums, essence – pour conclure que, dans les restaurants modestes, les petites villes historiques, ils ont vécu de rien ou presque, à cela près que des sept mille dollars du départ, tout était dépensé. La vigilance s'impose alors, une fois de plus. Fitzgerald fait des prévisions budgétaires, tablant sur une rentrée d'argent de vingt-quatre mille dollars par an, pour une dépense de dix-huit mille, ce qui lui permettrait d'en économiser six mille. Mais les réceptions se succèdent, et, à la fin de l'année, il a dépensé trente-six mille dollars et doit faire face à une dette de cinq mille dollars.

Cette course à l'argent marque toute l'époque : les années vingt tournent résolument le dos à un siècle d'économies et de privations qui a permis à l'Amérique de lancer des entreprises, de construire sa puissance. Au début des années vingt, l'armature de production est en place, il faut désormais dépenser de mille manières, profiter de la vie, en un mot consommer dans l'appétit et l'allégresse. À New York, le quartier des vêtements s'enrichit et tourne à plein régime, assurant la fortune d'industriels du costume et du manteau comme le père de l'écrivain de théâtre Arthur Miller.

« L'âge du jazz, écrit Fitzgerald, courait désormais sur sa propre lancée, ravitaillé par d'énormes distributeurs remplis d'argent... Même si vous étiez fauchés, vous n'aviez pas à craindre de manquer d'argent : il y en avait à profusion autour de vous[1]. » Les contemporains se lancent dans une immense partie de plaisir, tout change, l'influence du puritanisme et des églises protestantes recule, la culture dominante devient urbaine, citadine, on s'affranchit franchement de la tutelle culturelle des Anglais et des Écossais. New York donne le tempo, fixe les règles du jeu pour l'ensemble du pays, grâce à ces new-yorkais de l'avant-garde venus du Sud comme Zelda ou du Middle West comme Scott Fitzgerald, convaincus qu'ils vivent une métamorphose et qu'il y a des tas de choses à raconter. Les jeunes conquièrent tout l'espace ; les vieux, les parents sont discrédités par la guerre, les scandales et les tromperies véreuses. À la nouvelle génération, celle du jazz, les fêtes et les plaisirs, les boîtes comme le Grizzly Bear ou le Bunny Hug et les danses modernes comme le charleston qui détrône le tango et autre fox-trot.

---

1. Cité par Malcolm Cowley, introduction à *Un diamant gros comme le Ritz*, *op. cit.*, p. 13.

Fitzgerald, romancier de la Prohibition et des plaisirs

Arrive enfin le moment de la publication de la chimère de Scott Fitzgerald, sa pièce *Un Légume*, le 27 avril 1923. Le premier titre, *Le Trombone de Gabriel*, a été abandonné, Scott a fait des révisions constantes, ajouté un sous-titre : « Du Président au Postier » pour éclairer la satire politique et souligner le thème de l'incompétence à Washington. C'est pour Fitzgerald une période de grandes espérances et de fébrilité. Qui pourrait s'en douter lorsque Hearst International fait paraître, en mai 1923, leur portrait en double page avec une photo légendée « Les Scott Fitzgerald », qui sera reprise à grande échelle par les journaux et gazettes du groupe à travers le pays ? Scott est assis derrière Zelda, costume trois-pièces et cravate à motifs géométriques ; Zelda porte une robe avec une encolure bordée de fourrure et un long collier de perles. Leurs doigts s'effleurent gracieusement, tous deux sont coiffés avec la raie au milieu, les cheveux brillants, lisses pour Scott, courts et crantés pour Zelda. À l'évidence, c'est la consécration de l'élégance et de la séduction d'un couple culte qui représente l'apothéose des années vingt, le snobisme agréable et joyeux. Pourtant, Scott note ses insomnies, il avoue avoir été ivre à plusieurs occasions, il lui arrive de se perdre dans des beuveries dont il revient sans le souvenir de ce qu'il a pu faire. Le pire est qu'il ne tient pas l'alcool, deux ou trois verres, notent ses amis, et le voilà parti. On se souvient des mots d'Ernest Hemingway reprochant à celui qui fut un temps son ami, de ne pas tenir l'alcool : « Scott était un amuseur de très petit calibre. Il se dissolvait dans deux doigts d'alcool. Imaginez-le assis, là-bas, en train de boire avec nous. Mary nous propose de passer à table. Le pauvre Scott aurait fait trois pas avant de s'écrouler avec élégance » (*Holiday*, 1960). À jeun, c'est un homme charmant et d'une grande beauté.

Du texte à la scène, les difficultés s'amoncellent pour *Un Légume*. Fitzgerald limoge un comédien, en rencontre un autre, Ernest Truex, se trouve à court d'argent pendant les répétitions, passe de nombreuses soirées chez le sculpteur Rumsey. On rode le spectacle dans le New Jersey, à Atlantic City à la mi-novembre. La comédie reçoit un accueil glacial, le public ne veut pas de moqueries et d'attaques contre la Maison Blanche, tandis que la saison est marquée par les succès d'*Anna Christie* d'Eugene O'Neill dont Fitzgerald est un spectateur attentif. Fitzgerald s'est endetté sans mesure : l'immense déception consacre la fin de son rêve d'un succès à Broadway. Pis encore, il a l'impression d'écrire ce qu'il appelle de la « camelote » et que ce travail vain et infernal a failli lui ruiner la santé. Il finit par arrêter de boire. En cette fin d'année 1923, c'est une fois de plus le découvert à la banque : la dépense à Great Neck s'élève à trente-six mille dollars, les recettes à 28759,78. Un sourd désarroi commence à le miner ; il note tristement qu'il accumule des échecs et de grandes peines. Il passe une soirée avec Gloria Swanson, lit Dostoïevski, affronte l'éditeur du *Metropolitan* pour qu'il lui achète des nouvelles, travaille toute une nuit de février sur *Baby party* (*Un goûter d'enfant*), reçoit la visite de ses parents au mois de mars. Mais les rendez-vous, les réceptions, le clinquant commencent à l'épuiser. L'ami Ring Lardner, rentré d'un séjour à Hot Springs, propose alors de les aider à louer leur maison pour leur permettre de faire quelques économies et de partir pour un long voyage. En marge des soirées données par Swanson, par Kaufmann, par Esther Murphy et les autres, les Boyd, les Townsend, l'idée suit son chemin, il se sent comme tiré d'affaire et le 15 avril, la décision est prise pour de bon. En mai, avec sept mille dollars, les Fitzgerald s'en vont tous trois en Europe, embarquant pour la France sur le paquebot *Minnewaska.* À bord, ils sont, bien sûr, à la table du capitaine, on accoste, ils arrivent avec dix-sept malles.

Au diapason des Américains de Paris

Paris au printemps 1924. Scott et Zelda se promènent sur les Champs-Élysées, ils sont beaux, élégamment vêtus, pleins de charme, loin des cénacles du premier *Manifeste du surréalisme* d'André Breton. Le taux de change est favorable au dollar, ils engagent une gouvernante britannique à vingt-six dollars par mois pour Scottie, cherchent un majordome, un cuisinier, une villa pour l'été, redeviennent légers, joyeux et gais. L'époque est brillante, les fous du monde des arts, du théâtre et des lettres se retrouvent au Bœuf sur le Toit qui doit son nom à une farce signée Cocteau et Milhaud. On déjeune au Bois avec les amis de passage, Scott se plonge dans Joyce et Homère, il se lie bientôt à la colonie américaine installée dans le Triangle d'or, autour de l'Étoile, retrouve Bishop, l'ami de Princeton, expatrié en France depuis deux ans et marié à une riche héritière. C'est le début de l'imagerie Ritz, champagne, coupés décapotables pour signifier la réussite et le luxe, les Fitzgerald y entrent de plain-pied. Janet Flanner, connue sous le pseudonyme de « Genêt », est là, correspondante parisienne du *New Yorker*, auquel elle envoie une « Lettre de Paris », sorte de chronique culturelle scrupuleusement câblée deux fois par mois. Dans l'une d'elles, elle décrit le couple Zelda-Scott : « Scott et

Zelda Fitzgerald formaient à eux deux une catégorie mondaine un peu à part et cela était également vrai de leurs divertissements, qui se situaient davantage dans le midi de la France qu'à Paris, bien que leur célèbre dîner sur la péniche ancrée sur la Seine fût le seul événement mondain américain qui eût un semblant d'importance historique, presque comme s'il eût été français. Quand Scott se trouvait à Paris, il avait l'habitude excentrique et amicale de venir à mon hôtel pour parler littérature à deux heures du matin, soit avec moi, soit avec Margaret Anderson quand elle était là. Il montait l'escalier en trébuchant, la minuterie s'éteignant invariablement avant qu'il n'atteigne le troisième ou quatrième étage, et il frappait à n'importe quelle porte jusqu'à ce qu'on le laisse entrer. Personnage littéraire des plus subtils, il semblait toujours souffrir du poids de son propre génie – génie qui ne s'épanouit complètement que lorsqu'il écrivit *Gatsby le Magnifique*. Seul Scott avait pris conscience que Gatsby le *bootlegger* représentait le personnage picaresque américain par excellence en cette époque d'alcoolisme effréné. Scott l'écrivain possédait un sens authentique du tragique. Pour moi, il a été le seul à créer l'anti-héros pur et parfait, le criminel amoureux et frustré de son amour[1]. »

Multipliant les rencontres, Scott et Zelda font la connaissance d'un jeune couple raffiné, Gerald et Sara

1. *Paris c'était hier*, Mazarine, 1981.

Murphy, récemment mariés, qui vivent en France de leur fortune personnelle et logent au 23 quai des Grands-Augustins. Sara est une belle héritière, originaire de l'Ohio, Gerald sort de l'université de Yale où il s'est lié d'amitié avec Cole Porter et ne souhaite pas reprendre la florissante affaire familiale de maroquinerie Mark Cross à New York. Pour lui, l'Amérique est devenue trop triste depuis le vote du 18e amendement instaurant la prohibition, et la vie est ailleurs. L'hédonisme caractérise Murphy qui s'est expatrié en 1921. Lui-même est artiste, emballé par les Beaux-Arts à Paris, et il prend quelques cours avec Natalia Gontcharova qui donne dans le constructivisme, il va traduire les idées nouvelles en seize toiles qui représentent des produits américains, dans un style proche de la publicité. En 1924, il montre sa première peinture, intitulée *Razor* : trois objets qui ont conquis le public français, un rasoir Gillette, un stylo Parker et une boîte d'allumettes Three Stars ; puis c'est *Watch* avec les rouages d'une montre (les deux tableaux sont au musée de Dallas) et en 1927 *Cocktail*, des verres et bouteilles, que l'on peut voir au musée Whitney de New York. Son style s'apparente à celui de Fernand Léger dont il est l'ami ; il fait aussi des collages et peint des décors pour les ballets.

Les Murphy évoquent le sud de la France, ils ont trouvé leur paradis : la Côte d'Azur, hors saison, si bien qu'ils se font bâtir une grande villa aux abords d'Antibes, la Villa America, près du phare et de la plage de la Garoupe. À Paris, les Murphy recherchent la compagnie des artistes, ils se rapprochent des décorateurs de théâtre et des peintres, ils rencontrent Braque, Juan Gris, Picasso et Stravinsky ; portés par un élan, ils vont de récitals en galeries. Scott et Zelda sont conquis, d'autant plus que le jeune couple est aussi à l'affût des écrivains américains qui séjournent ou arrivent à Paris : ils connaissent Dos Passos, MacLeish, Hemingway. Scott est enchanté, c'est le début d'une très longue amitié.

De son côté, Zelda apprécie d'emblée les pétillantes filles du Sud des États-Unis dans le groupe des expatriés, qui tiennent allègrement leur place : il y a là Pauline Pfeiffer (future femme d'Ernest Hemingway), riche célibataire qui travaille à Paris pour l'édition française de *Vogue* ; elle est charmante, mince, les hanches étroites, les cheveux coupés court. Il y a Duff Twysden, figure des bars américains, Hadley Richardson, qui vient de Saint Louis, mariée depuis septembre 1921 à Ernest Hemingway. Ils habitent un petit appartement au confort sommaire au 74 rue du Cardinal-Lemoine, dans le cinquième arrondissement, et vont déménager pour le 113 rue Notre-Dame-des-Champs, proche de La Closerie des Lilas où il établit son quartier général. Eux aussi ont des rêves de grandeur et des rêves d'argent. Hemingway écrit des articles pour le *Toronto Star* et se déplace beaucoup ; il a rencontré Gertrude

Stein chez elle, au 27 rue de Fleurus. Benjamine de la maison de Pittsburgh, aux côtés de ses frères Michael et Leo, Gertrude est née en 1874 et elle est comme eux attirée par la vieille Europe, en particulier l'Italie et la France dont ils sillonnent les musées. Le capital familial à l'Omnibus Railway and Cable Company de San Francisco a bien fructifié, dispensant désormais les quatre Stein – Michael et son épouse Sarah, Leo et Gertrude – de travailler. L'art est leur unique passion, si bien qu'implantés à Paris, les Stein vont devenir les plus fins connaisseurs des avant-gardes, du fauvisme et du cubisme. Leo achète son premier Cézanne en 1903, Picasso peint Gertrude en 1906 (le tableau est au Metropolitan Museum de New York) et continue par la suite de lui rendre visite de temps à autre, Matisse se met sur les rangs. Les prix montent. Le passage par la demeure de Gertrude, rue de Fleurus, devient un rite d'initiation pour qui se pique de comprendre l'art et la littérature modernes, c'est un honneur d'y être reçu et d'avoir une toile accrochée au mur de son salon qui aligne les peintures de Cézanne, Bonnard, Vallotton ou Gauguin. À l'évidence, ses invités forment l'élite artistique du moment et, pour les Fitzgerald, il faut en être. Tous ces lettrés américains vont rue de l'Odéon à la librairie Shakespeare and Company, tenue par Sylvia Beach, la bande de la rive gauche se retrouve au Dôme et aux Deux Magots, chacun a laissé quelque chose derrière soi, une carrière, une notoriété, des racines.

Discrètement, en cette saison où New York va bientôt découvrir la *Rhapsody in Blue* de George Gershwin, Scott Fitzgerald s'inquiète des tirages et des ventes de ses livres, et se rend plus que jamais rue de Fleurus. Dans le livre qu'elle consacre à Gertrude Stein[1], Elizabeth Sprigge décrit en ces termes l'influence qu'elle exerça sur des auteurs tels que Hemingway, Sherwood Anderson, mais aussi F. Scott Fitzgerald : « ... il y avait une justesse impitoyable dans ses jugements concernant la faculté créatrice. Exceptionnellement en éveil, elle n'écrivait pas pour faire plaisir, ce qu'elle savait, elle le savait. Elle aimait les compliments, elle appréciait la plaisanterie, mais jamais elle ne s'abaissait pour plaire et conquérir. Elle parlait aux auteurs plus jeunes qu'elle comme si elle eût été le Seigneur en personne. Et ils l'écoutaient parce qu'elle exigeait qu'on ne tînt aucun compte des exigences de l'auditoire. Elle demandait de voir “les choses comme elles sont”. Elle ne leur disait ni ce qu'il fallait écrire ni comment il fallait l'écrire... »

1. *Her Life and Works*, Harper's, 1957.

Le premier nabab

Baigneurs sur la plage de la Garoupe

Fin mai 1924, convaincus par les évocations enchantées des Murphy, les Fitzgerald prennent le train pour le Midi. Défilent les coteaux bourguignons, la blanche Avignon ; puis c'est la Provence, le soleil, le feuillage sombre des citronniers, le bourdonnement des insectes autour des héliotropes. Ils descendent à l'hôtel Grimm à Hyères, où Scott lit Byron et Shelley, mais ne s'y plaisent guère. Son registre cartonné mentionne sa rencontre avec l'ami Bishop, le jardin d'Edith Wharton, monsieur Astier et une nuit au Mont Martyre. En juin, les voilà à Saint-Raphaël dont la couleur et la gaieté les séduisent, ils veulent trouver un nouveau rythme, prendre un nouveau départ, mot qui revient sans cesse à l'esprit et sous la plume de Scott Fitzgerald. Oubliant toutes leurs bonnes résolutions de faire des économies lors du séjour en France, ils louent la Villa Marie ornée de balcons mauresques, nichée dans ses jardins de citronniers et de pins, claire, exotique et belle avec ses terrasses, ses allées qui serpentent. La forteresse est située sur la hauteur, le paradis promis est là, avec sa cohorte de petites domestiques, Marthe et Jeanne, puis leurs sœurs Eugénie et Serpolette. Pour l'amusement, Zelda met en espace une bataille de croisés dans le jardin de rocaille, avec les soldats de plomb de Scott au pied des douves qui se remplissent d'eau, pour la grande joie des invités, dont les Murphy, résidents de l'hôtel du Cap près d'Antibes. Ils se prennent d'amitié pour Zelda si à l'aise dans la luxuriance et la chaleur qui lui rappellent son Alabama. Parasols, espadrilles achetées à Cannes, une six-chevaux Renault pour les sorties, ils sont prêts pour un été heureux. Scott écrit en paix tous les jours pendant que Zelda nage vigoureusement et prend des bains de soleil. On va se promener à Valescure et à Saint-Raphaël, le soir on sort, on boit, on danse au casino, les aviateurs de Fréjus dans leurs craquants uniformes blancs sont aux tables voisines. Ils donnent leur premier dîner, veillant toute la nuit, et la nurse de Scottie, Miss Maddox, organise elle aussi un pique-nique. Leur vie devient une mise en scène de leur talent, existence idyllique pour Zelda qui s'amuse à plein temps, comme elle l'écrit à Edmund Wilson, souhaitant, bien sûr, que le Tout-New York s'en fasse l'écho. Avec les Murphy, et bientôt les amis américains de passage, ils sont déjà ces baigneurs de la plage de la Garoupe, immortalisés un peu plus tard sur la grande toile jaune et bleu de Picasso.

Au plaisir des baignades s'ajoute bientôt celui de la compagnie d'un beau pilote de l'aéronavale, Édouard Josanne. C'est d'une certaine manière l'antithèse de Scott : grand, athlétique, le corps bronzé, les cheveux bruns bouclés, il rappelle à Zelda les jeunes officiers de Montgomery qui lui rendaient hommage en faisant piquer leur avion sur le toit de tuiles rouges de la maison du juge Sayre, car Josanne, lui aussi, survole dangereusement la Villa Marie. Les Fitzgerald éblouissent leur monde : à vingt-quatre ans, Zelda est d'une beauté rayonnante, Scott frappe par sa conversation brillante, ses analyses intellectuelles : « C'est Ford qui dirige la société moderne et non pas les hommes politiques qui ne sont que des écrans et des otages[1] », remarque-t-il déjà. Tous deux, riches et libres, au fait du parisianisme et des cercles cosmopolites, séduisent ces provinciaux par leur culture, leur brio, leurs manières déliées. Images du bonheur : Zelda aime l'argent facile qui offre la vie détendue des plages dorées, les pique-niques, les promenades en voiture dans la Renault, Scott écrit son grand roman, qu'il sort, dit-il, de ses entrailles.

Fitzgerald croit en l'amour, en la fidélité conjugale et la brève liaison entre Zelda et l'aviateur, lorsqu'il ouvre les yeux, le prend de court et le bouleverse. Il lance un

---

1. Cité par Nancy Milford in *Zelda*, Stock, 1972, p. 155.

ultimatum qui bannit Josanne et marque la date du 13 juillet 1924 comme celle de la crise, le moment de la détresse. Ils font un triste voyage à Monte-Carlo, puis à Sainte-Maxime. Bonnes nouvelles de Ring Lardner : son livre, que Scott avait encouragé et soutenu, a du succès et la maison de Great Neck a trouvé un locataire. En août, Scott cesse de boire, veille sur Zelda, affirme qu'ils sont très proches, malgré une probable tentative de suicide aux somnifères de Zelda. Ils font de fréquentes promenades à Antibes et accueillent de nombreux visiteurs, dont Dos Passos, né la même année que lui. De ces moments marqués par les excès, les doutes, les querelles, naît une inaptitude générale passagère au travail créateur.

En septembre, Scott considère que l'orage est passé, même si l'épisode de l'aviateur français, il le sent bien, les a durablement fragilisés. Édouard Josanne, qui n'avait qu'une liaison à offrir, sort de l'univers de la Côte, promis à une brillante carrière puisque l'on sait qu'il commandera une escadre à Dunkerque en 1940 et qu'en 1952, il sera nommé vice-amiral et commandant des forces navales françaises au Moyen-Orient. Ce bel officier avait déjà l'autorité naturelle et l'étoffe d'un chef, des atouts différents, l'élégance et l'ambition de l'excellence, avaient séduit Zelda chez l'époux comme chez l'amant.

L'humilité gagne alors Fitzgerald, il prend conscience des mauvaises habitudes acquises à Great Neck. Il vient d'être trahi, sa pièce de théâtre a été un four, mais en juin *Absolution* est paru dans *The American Mercury* et il s'apercevra par la suite que ses dix-huit mois de travail lui ont donné une maîtrise du dialogue et de l'effet dramatique. Il fait des retours en arrière, sur le temps perdu à boire, à faire esclandre, à gâcher sa santé, réfléchissant à l'emprise de Zelda, à sa production littéraire, à son rythme d'écriture. Certes le *Post* a multiplié son prix par cinq en six ans – on lui donne maintenant deux mille cinq cents dollars pour une nouvelle –, mais Fitzgerald considère que c'est du travail alimentaire et il en vient à conclure qu'il a perdu les années 1922 et 1923. Les nouvelles pour les grands magazines ont leurs règles précises ou plutôt leurs contraintes : pas de suicides, pas de violence charnelle, une fin apaisée, bref l'éternelle fable du loup et du chien. Ces quatre mois d'éloignement sur la Côte d'Azur l'amènent à dresser un bilan lucide et renforcent sa détermination à écrire un roman abouti, une œuvre d'art. Il lit les ouvrages à succès dont *Le Bal du comte d'Orgel*, préfacé par Cocteau, et s'étonne de l'âge du jeune Raymond Radiguet lorsqu'il l'a écrit. À la fin du mois d'octobre, la première version du manuscrit de *Gatsby*, éclose en cinq mois à la Villa Marie – pendant l'été 1924 –, part chez Scribner. Perkins répond par retour, plein d'éloges sur le style, la vitalité, le *glamour* et joint une analyse détaillée des chapitres. Pour lui, la Vallée des Cendres, les réceptions chez Gatsby sont extraordinaires : les yeux du Dr Eckleburg, les aperçus de la ville, de la mer et du ciel assureront gloire et postérité à son auteur. Comme toujours, Perkins a du flair et il voit juste. L'histoire d'amour romantique entre Daisy et le riche et mystérieux Gatsby, le triangle classique du mari jaloux mais infidèle, de la maîtresse et du soupirant vont conquérir à la fois les lettrés et un public populaire.

Mais il y a aussi une résonance très contemporaine : Gatsby est un aventurier moderne et Fitzgerald garde toujours comme référence les histoires et personnages de Joseph Conrad, pris dans une tempête qui dramatise l'heure du choix. En prise avec la société de son temps, le roman a permis à Fitzgerald de représenter ces années d'après-guerre, marquées par la fraude et le laisser-faire, par un personnage historique tapi à l'arrière-plan. Il s'agit du chef du milieu new-yorkais, Arnold Rothstein (1882-1928), qui a la haute main sur les réseaux clandestins des maisons de jeux, le trafic d'alcool et de drogue ainsi que sur les liaisons entre la pègre et le monde politique. Arnold Rothstein, vieilli de dix ans, devient Meyer Wolfsheim dans le roman. Fitzgerald connaît bien son parcours, grâce notamment à Bernard Swope, son voisin à Long Island, célèbre journaliste au *New York World*, qui a recueilli et publié les confessions d'un ami de Rothstein en 1922. Qui plus est, pendant la préparation de *Gatsby,* une série de procès pour escroqueries éclabousse un autre voisin de Great Neck, Edward Fuller, président d'une firme de courtage à New York.

Mais seules la carrière mystérieuse du financier, sa munificence sont retenues pour créer le personnage de Jay Gatsby : un homme qui est un de ces rares sourires que l'on rencontre quatre ou cinq fois dans une vie, un trentenaire au langage recherché et aux gestes indolents. Cinq autres mois de travail feront du roman un classique de la littérature américaine. Les dernières pages sont de toute beauté :

« La plupart des villas du bord de l'eau étaient déjà fermées et il n'y avait guère de lumières que celles, indécises et mouvantes, d'un ferry-boat de l'autre côté du Détroit. Et à mesure que montait la lune, les inutiles villas commencèrent à s'effacer si bien que, par degrés, j'eus l'impression d'être sur l'île antique qui avait jadis fleuri aux yeux des matelots hollandais – le sein vert et frais d'un monde nouveau, ses arbres disparus, les arbres qui avaient cédé la place au château de Gatsby, avaient un temps flatté de leurs murmures le dernier et le plus grand de tous les rêves humains ; pendant un instant fugitif et enchanté, l'homme retint sans doute son souffle en présence de ce continent, contraint à une contemplation esthétique qu'il ne comprenait ni ne désirait, face à face pour la dernière fois dans l'histoire avec une chose qui égalait sa faculté d'émerveillement.

Et, assis en cet endroit, réfléchissant au vieux monde inconnu, je songeais à l'émerveillement que dut éprouver Gatsby quand il identifia pour la première fois la lumière verte au bout de la jetée de Daisy. Il était venu de bien loin sur cette pelouse bleue, et son rêve devait lui paraître si proche, qu'il ne pourrait manquer de le saisir avec sa main. Il ignorait qu'il était déjà derrière lui, quelque part dans cette vaste obscurité au-delà de la ville, où les champs obscurs de la république se déroulaient sous la nuit.

Gatsby croyait en la lumière verte, l'extatique avenir qui d'année en année recule devant nous. Il nous a échappé ? Qu'importe ! Demain nous courrons plus vite, nos bras s'étendront plus loin… Et un beau matin…

C'est ainsi que nous avançons, barques luttant contre un courant qui nous rejette sans cesse vers le passé. »

Fitzgerald est soulagé et heureux. Aussi reprend-il confiance en lui lorsqu'il entreprend les corrections des épreuves du roman. Pour l'heure, il lui faut aussi trancher sur le titre. Songe-t-il à « La Ballade de la mauvaise réputation » de Verlaine qui joue à merveille sur l'identité du personnage fier derrière sa palissade « Lucullus ? Non. Trimalcion » pour évoquer aubades, dégringolades et fins maussades ? Il hésite jusqu'en mars entre *Trimalchio in West Egg*, *Trimalchio*, *Gatsby*, *Gold-hatted Gatsby* (Gatsby au chapeau d'or), *The High-Bouncing Lover* (L'amoureux plein d'épate) ; finalement, Zelda, qui a dessiné de nombreux portraits du personnage, préfère *Gasby le Magnifique* et Scott fait confiance à son intuition. C'est aussi le choix de Perkins chez l'éditeur. Il le sait : le roman de Gatsby est la fable du Nouveau Monde, à la fois histoire de l'illusion et répertoire des promesses, car New York et sa banlieue huppée de Long Island, point d'arrivée des jeunes loups de tout poil, concentre la réussite des pionniers, des aventuriers, des gens du spectacle qui donnent une atmosphère irréelle et factice. Tous condamnés par leur folle époque à la dissipation, à la consommation ostentatoire, ils refusent la banalité du quotidien. Mais la prodigalité de Gatsby, qui donne ses fêtes somptueuses plus en poète ou en esthète qu'en jouisseur ordinaire, c'est celle de Scott. Il rédige son contrat pour les droits d'auteur : il touchera 15 % jusqu'à quarante mille exemplaires, 20 % au-delà. Les ventes à venir lui importent, il table sur quatre-vingt mille. Le livre sort avec une couverture remarquable : sur l'immense fond bleu sombre de la nuit, deux yeux jaunes et une jolie bouche rouge ; en bas, en silhouette, une ville très éclairée, lumineuse comme un collier d'or jaune.

Pour l'hiver, Scott et Zelda décident de partir à Rome, ils descendent à l'hôtel des Princes, vivent de vin de Corvo et de fromage Bel Paese, se perdent dans les siècles au crépuscule aux abords du Colisée et vivent la vie des noctambules. Mais le séjour a très mal commencé, par une altercation sur le prix d'une course en taxi qui vaut à Scott d'être corrigé par un policier et gardé au poste. Il en conçoit aussitôt une irritation à l'égard des Italiens et même de l'Italie qu'il qualifie de « terre morte ». L'hiver est froid et pluvieux, ils tombent malades. Qu'importe, il revoit les épreuves de son livre. Les voilà à Naples puis à Capri, descendus à l'hôtel Tiberio, où ils arrivent le jour de l'an ; villégiature heureuse pour Scott si ce n'est que Zelda est malade. Ils grimpent les ruelles sombres et tordues, avec leurs boucheries à la Rembrandt ; c'est là que Zelda se met à peindre pour la première fois. Lui, durant l'année 1924 qui vient de s'écouler, a travaillé dur sur douze nouvelles, il a écrit un roman et quatre articles. Dès qu'ils boivent trop, ils se disputent. Terriblement déçus par l'hiver méditerranéen, ils remontent vers le nord dès avril, en bateau jusqu'à Marseille, puis en voiture. Mais la Renault tombe en panne à Lyon, si bien qu'ils regagnent Paris en train. Scott écrit à Bishop que Zelda et lui sont très amoureux l'un de l'autre.

Tendre est Paris

À l'issue d'un hiver aux mille soirées, où ils habitent d'abord à l'hôtel, boulevard Malesherbes, puis en appartement meublé, survient une grande date pour Fitzgerald : celle du 10 avril 1925, jour de la sortie de *Gatsby*.

La veille, il demande des nouvelles, on lui répond que les critiques sont excellentes. Et c'est bien le cas : il reçoit des lettres d'écrivains à qui il a envoyé des exemplaires dédicacés : Willa Cather, Sinclair Lewis, Mencken, T.S. Eliot qui lui répondent de manière enthousiaste. En mai, Gertrude Stein lui fait un immense compliment lorsqu'elle avance qu'il crée le monde contemporain en littérature, comme Thackeray l'avait fait en Angleterre avec *Vanity Fair* (*La Foire aux Vanités*). T.S. Eliot, que Scott tient pour le plus grand poète vivant, n'est pas en reste qui considère *Gatsby* comme le premier pas de la fiction américaine depuis Henry James. Très fier, Scott garde la lettre dans sa poche de veston, à portée de la main, pour la montrer à ses amis. Telle unanimité pour saluer son talent le touche, il sent l'admiration de ses contemporains qui ont capté à la fois l'aspiration à la beauté, si fragile, de la rêverie amoureuse, la corruption des riches, le pouls de la ferveur de l'Amérique, et qui ont reconnu le ton nouveau d'une compassion lyrique. Il est bientôt traduit en français et en suédois. C'est la saison délicieuse des lauriers, et il se laisse entraîner dans la fête des Américains de Paris où se joue l'aube du XXe siècle, celui du jazz et de l'Exposition des Arts décoratifs. Gertrude Stein, Gerald Murphy, John Peale Bishop, tous ces esthètes fortunés et la cohorte des jeunes intellectuels idéalistes ont pris leurs distances avec une Amérique puritaine, industrieuse et mercantile. Art nouveau, littérature nouvelle, munificence, *Gatsby le Magnifique* sort à point nommé. Des années plus tard, à la fin de sa vie, Fitzgerald y ajoute une confidence sur la part de l'expérience personnelle, celle d'un garçon pauvre dans une ville riche, dans une école de riches, dans un club de riches à Princeton. Scott avoue n'avoir jamais pardonné aux riches d'être riches.

Le roman est remarqué aux États-Unis, si bien qu'en juin on lui achète les droits d'adaptation pour le théâtre. Un imprésario de Broadway, William Brady, et l'auteur de théâtre Owen Davis vont y travailler. La pièce, qui a conservé le titre initial, sera donnée sur Broadway à partir du 2 février 1926, pour cent douze représentations. La signature du contrat constitue une consolation très bienvenue car Scott est déçu par les ventes initiales de *Gatsby le Magnifique* : vingt mille exemplaires. Il déclare qu'il veut arrêter d'écrire, partir à Hollywood car il ne souhaite pas réduire son train de vie et il ne supporte plus les incertitudes financières. Tout est dit dans ce découragement qui va peu à peu envahir sa vie. Il a bien conscience de faire des portraits de la richesse et de l'ennui voilé d'une génération qui se définit par la hantise de la pauvreté, le culte du succès et qu'il peint ses contemporains qui arrivent à l'âge adulte au moment où tous les dieux sont morts, où les guerres sont finies et les certitudes envolées. Tous ont eu les mêmes rêves que Scott : devenir une vedette au football, le plus brillant à l'université, un héros sur le champ de bataille, enfin gagner beaucoup d'argent et séduire la fille la plus convoitée. Bref, les aspirations de l'âge du jazz. À ce stade de sa carrière, il a tout écrit : de la poésie, du théâtre, des nouvelles, des chroniques, des romans, mais son chef-d'œuvre ne rencontre pas le public espéré.

Il fait doux, Scott se promène, passe des heures à la librairie Brentano, feuillette les photographies des blessés de cette guerre dont le mauvais sort l'a écarté. Sa nostalgie de ce rite de passage manqué le pousse jusqu'aux champs de bataille de Lorraine et de Champagne, il vit en imagination des actes héroïques, l'intensité dans l'écriture va remplacer l'action. Il veut laisser derrière lui la vie insensée de Great Neck et pense avoir trouvé sa terre promise, s'émerveillant des notes claires des klaxons de Paris et du dépaysement. Ne va-t-il pas jusqu'à dire à un journaliste du *World* : « La France possède les deux seules choses à quoi l'on aspire quand on prend de l'âge, l'intelligence et les bonnes manières [...]. Le meilleur de l'Amérique se retrouve à Paris. L'Américain à Paris c'est ce que l'Amérique fait de mieux. Il est plus réjouissant pour une personne intelligente de vivre dans un pays intelligent[1]. » La classe cultivée s'y trouve et s'y brasse, avec ses points de repère, les banques, les librairies et les cafés, toute une

1. Cité par André Le Vot, « Les années parisiennes », *Le Magazine littéraire*, n° 341, mars 1996, p. 36.

géographie familière qui, finalement, leur donne un sentiment d'appartenance, allié à une stimulation qui tient lieu d'énergie nouvelle. Une fierté légitime aussi de côtoyer les Américaines les plus argentées, les plus émancipées, telle Natalie Barney dont les vendredis au 20 rue Jacob sont courus par Rémy de Gourmont, Cocteau, Valéry et les belles de Lesbos. Il faut aussi gagner une invitation au château, à Saint-Brice, près de Montmorency, où Edith Wharton reçoit l'élite littéraire et diplomatique lorsqu'elle quitte la rue de Varenne pour sa campagne.

Dans ce Paris, qui est pour Zelda et Scott leur île et leur eldorado, 1925 est l'année de la rencontre entre Fitzgerald et Hemingway, au mois d'avril, au Dingo Bar, rue Delambre, alors qu'à New York sort le premier numéro du *New Yorker*. Hemingway donne ce portrait de Fitzgerald : « Scott était un homme qui ressemblait alors à un petit garçon avec un visage mi-beau, mi-joli. Il avait des cheveux très blonds et bouclés, un grand front, un regard vif et cordial, et une bouche délicate aux lèvres allongées, typiquement irlandaise, qui, dans un visage de fille, aurait été la bouche d'une beauté. Son menton était bien modelé, il avait l'oreille agréablement tournée et un nez élégant, pur et presque beau. Tout cela n'aurait pas suffi à composer un joli visage mais il fallait y ajouter le teint, les cheveux blonds et la bouche si troublante pour qui ne connaissait pas Scott et plus troublante encore pour qui le connaissait[1]. » Scott a vingt-neuf ans, Hem vingt-six, la partie est alors inégale mais l'année précédente Fitzgerald a lu une nouvelle d'Hemingway, *Le Village indien*, parue en février 1924 dans la *Transatlantic Review*, et a même recommandé Hemingway en octobre 1924 chez Scribner, son éditeur, qui publiera *In Our Time* quelques mois plus tard. Ernest et Scott sont tous deux idéalistes et ils se soûlent ensemble dans les cafés insouciants de la rive gauche. Hemingway, affamé, fauché – mais il s'endette un peu pour acheter un Miró –, correspondant du *Toronto Star Weekly*, va rompre avec son journal et, en conséquence, traverser une période de vaches maigres, au 113 rue Notre-Dame-des-Champs, alors que les Fitzgerald vivent dans le somptueux appartement de la rue de Tilsitt qui s'orne, à Noël, d'un immense sapin devant lequel Scott, Zelda et Scottie se font photographier en grande tenue. Intuitivement, Hem pressent néanmoins, sous les manières enjouées, l'inquiétude et le tourment de Scott. Le portrait qu'il en donnera dans *Paris est une fête* est de ce point de vue très significatif : « Quand j'eus fini ma lecture, je savais une chose : quoi que Scott fît et de quelque façon qu'il le fît, il me faudrait le traiter comme un malade et l'aider dans la mesure du possible et essayer d'être son ami ; il avait déjà de bons, de très

1. Ernest Hemingway, *Paris est une fête,* édition revue et augmentée, Gallimard, 2011, p. 168.

bons amis, plus que personne à ma connaissance, mais je me tins désormais pour l'un d'eux, moi aussi, sans savoir encore si je pourrais lui être de quelque secours. S'il pouvait écrire un livre aussi bon que *Gatsby le Magnifique,* j'étais sûr qu'il pourrait en écrire un qui serait encore meilleur. Je ne connaissais pas encore Zelda et ne savais point, par conséquent, quels terribles atouts Scott avait contre lui. Mais nous ne tarderions pas à le savoir[1]. » Jugeant Zelda étrange dès le départ, Hem considère l'épouse de Scott comme une séductrice, une femme sans retenue. Ils ne s'apprécient guère, il la trouve pathétiquement jalouse du statut d'écrivain de talent de son homme, il la soupçonne d'entraîner Scott de dîners en fêtes, de sorties en soirées pour l'empêcher de travailler. Il la décrit avec des yeux de faucon, une petite bouche, un accent et les manières des États du Sud, quasi-condamnation de la part de cet homme de Chicago. Il remarque aussi dans cette évocation du déjeuner pris chez les Fitzgerald, rue de Tilsitt, un sourire très particulier, des yeux et de la bouche à la fois, dès qu'elle voit Scott boire du vin, sachant pertinemment qu'ensuite il ne pourra pas écrire. Cette intuition est hélas corroborée par l'actrice Louise Brooks, frappée par l'atmosphère sécrétée par ce couple, par cet écrivain de génie dominé par l'intelligence destructrice de Zelda. Pour l'heure, les deux compères, Hem et

1. *Ibid.,* p. 199.

Scott, s'apprécient, le métier les lie. Mais Scott est bien le romancier le plus vénéré de sa génération, jusqu'à l'idolâtrie car il est l'homme au profil idéal, ses poches de pantalon résonnent du tintement des pièces de monnaie. Pourtant, il est impressionné par Hemingway, cette force d'attraction hors du commun. Il est vaguement inquiet, comme le narrateur dans *Gatsby* qui donne une vision triste de la trentaine, âge qui contient la promesse de dix ans de solitude, de cheveux qui s'éclaircissent et d'une énergie qui va s'appauvrissant, sans parler de la cohorte des désillusions. À la maison, Zelda est toujours malade, alors on sort rendre visite aux Murphy dans leur jardin de Saint-Cloud et bientôt tous iront vers le sud.

Le séjour à la Garoupe et Antibes s'interrompt en juin par un bref retour à Paris où Zelda est opérée à l'hôpital américain de Neuilly. Le comédien qui tenait le rôle de Gatsby à Broadway, James Rennie, vient rendre visite à Fitzgerald qui le traite royalement et laisse partout d'énormes pourboires. C'est le temps florissant des cafés : La Closerie des Lilas, revivifiée par Paul Fort, le Café de Fleurus, La Vachette, ont une tradition d'accueil des poètes et des plumitifs ; on tient table ouverte au Dôme ou à La Rotonde qui accueillent la bohème des Années folles, il faut être aperçu à la longue terrasse du Café de la Paix qui a vu défiler Jules Renard, Oscar Wilde, Paul Valéry et les Guitry. Dans l'air flotte la tradition des mardis « Vers et Prose », des soirées de la Plume, on commente le style Art déco des faïences de La Palette, les papillons, la barque, les femmes et les fleurs des céramiques de la Brasserie Mollard à Saint-Lazare. Les trois bougnats de Saint-Germain-des-Prés, Boubal au Flore, Cazes chez Lipp et Mathivat aux Deux Magots, embellissent leurs établissements qui deviennent les points de ralliement des gens de lettres, les lieux où l'on cause et papote. Bientôt, le 1er décembre 1928, ce sera l'inauguration de La Coupole, avec dix mille canapés, mille paires de saucisses chaudes, trois mille œufs, huit cents gâteaux arrosés de quinze cents bouteilles de champagne. Les Américains en sont, et pour eux, c'est Paris où chacun prend la pose de l'homme idéal des années vingt, une créature sublime qui tient de Goethe, de Byron et de Shaw, l'opulence en plus.

En août 1925, les Fitzgerald quittent à nouveau la capitale pour Antibes où ils vont passer un mois. C'est le temps des étés merveilleux sur la Riviera française ; à la plage de la Garoupe, on est entre soi et les enfants des Murphy sont priés de lancer du sable sur les curieux et les intrus. La colonie d'artistes prend du bon temps avec Mistinguett, Dos Passos, qui vient de publier *Manhattan Transfer*, le violoniste Mannes, l'auteur de théâtre à succès Barry. Le soir, tout y est art et excès, c'est l'éternel carnaval du bord de la mer. Au cours d'un dîner dans une auberge de Saint-Paul-de-Vence, on aperçoit Isadora Duncan à une table voisine, qui donne une de ses dernières soirées en compagnie de quelques admirateurs en buvant du champagne. Scott s'assoit à ses pieds, elle lui passe la main dans les cheveux, Zelda observe la scène sans dire un mot et, tout à coup, elle se jette par-dessus la rambarde de l'escalier. Choqués, les Murphy commentent après coup : « Vous comprenez, ils ne recherchaient pas des plaisirs ordinaires, ils ne prêtaient guère attention aux bons vins ou à la bonne chère, ce qu'ils voulaient c'est que quelque chose se passe[1]. » Ostentatoires, ils ne vivent que pour créer des instants privilégiés, dans une insouciante liberté. Ainsi au casino, Scott va se mettre à quatre pattes sous le grand paillasson de l'entrée pour faire une tortue marine qui pousse de petits cris, toujours prêt à amuser la galerie. Il n'empêche, la beauté magique du lieu l'emporte dans les souvenirs et, près de dix ans plus tard, ce royaume au bord de la mer, ces eaux du cap d'Antibes feront l'ouverture voluptueuse de *Tendre est la nuit* :

« C'est à mi-chemin de Marseille et de la frontière italienne, un grand hôtel au crépi rose, qui se dresse orgueilleusement sur les bords charmants de la Riviera. Une rangée de palmiers éventent avec déférence sa façade congestionnée, tandis qu'une plage aveuglante

1. Cité par Nancy Milford, in *Zelda*, *op. cit.*, p. 167.

s'étend à ses pieds. Un petit clan de gens élégants et célèbres l'ont choisi récemment pour y passer l'été, mais il se trouvait pratiquement vide, il y a dix ans, quand sa clientèle d'Anglais remontait vers le Nord, en avril. Et si ces bungalows pullulent aujourd'hui, au temps où cette histoire commence, lorsqu'on quittait cet hôtel, dit "des Étrangers", tenu par le ménage Gausse, pour se rendre à Cannes distante de huit kilomètres environ, on n'apercevait qu'une douzaine de villas vétustes, dont les dômes verdis s'ouvraient, dans la touffeur des pins, comme des nénuphars[1]. »

Lorsqu'ils rentrent à Paris, Scott est déprimé, les ventes de *Gatsby* – 22 000 maintenant – le déçoivent toujours, il considère déjà cette année comme honteusement inutile, sa santé se dégrade. L'amie Gertrude Stein publie *Américains d'Amérique, histoire d'une famille américaine*, signe de sa double appartenance aux États-Unis et à Paris, qui passe de main en main dans le cercle des littéraires. Les Fitzgerald habitent de mai à décembre 1925 au cinquième étage du 14, rue de Tilsitt, un appartement qu'ils jugent morose avec son papier peint vieillot, or et violet, à l'élégance surannée. Zelda est fréquemment malade mais la nuit leur appartient, ils se reconnaissent dans cette société qui

1. *Tendre est la nuit*, traduit de l'américain par Jacques Tournier, 1985.

consomme tout de suite ce qu'ils ne sont pas sûrs d'avoir le lendemain, comme s'ils ne croyaient pas vraiment dans leur avenir, en proie au déni de la nuit, au déni de la mort. Paris, la nuit, est une autre ville, tout y prend un visage différent, tout y devient exotique : double manière de s'émanciper dans le voyage. Les Américains boivent dans les suites du Meurice et du Crillon. On boit à Montmartre, pour la soif, pour la digestion, pour guérir. On frôle les cocottes de la rue Pigalle. On croise les noctambules de la place Blanche en tenue de soirée. On dépense sans compter son temps et son argent. On va écouter la chanteuse noire Ada, Beatrice, Queen Victoria, Louise, Virginia Smith, connue sous le nom de Bricktop en raison de ses cheveux rouges et de ses taches de rousseur. Son cabaret nightclub de Pigalle, lancé en 1924, s'appelle Chez Bricktop, et Pascin y amène Joséphine Baker, Léger est là aussi, dans l'univers fluide des artistes. Loin de la loi sur la prohibition, renforcée en 1919 par le Volstead Act, les Fitzgerald et leurs amis boivent à toute heure pour la révolte et le plaisir, des cocktails avant les repas, comme les Américains ; mais aussi du vin et du cognac comme les Français, de la bière comme les Allemands, du whisky-soda comme les Anglais, bref des mélanges cosmopolites insensés. Ils se mettent en danger, comme toute leur époque, vivant au fil du temps, si bien que certains soirs, Scott avoue qu'il ne sait plus vraiment si Zelda et lui-même sont réels ou bien les personnages de ses romans. Au reste, tous deux ressemblent à s'y méprendre à Jeffrey et Roxane dans la nouvelle au titre d'oxymore *La Lie du bonheur* :

> « C'était un mariage d'amour. Il était assez gâté pour posséder beaucoup de charme, elle gardait assez de beauté pour être irrésistible. Comme deux troncs flottants, ils s'étaient rencontrés, poussés par les courants, attachés l'un à l'autre et continuaient leur route ensemble... Ils s'aimèrent et se querellèrent tendrement, se glorifièrent de l'alliance éblouissante de l'esprit de l'un à la beauté de l'autre ; ils étaient jeunes et gravement passionnés ; ils exigeaient tout puis renonçaient à tout, goûtant les délices de la générosité et de l'orgueil. Elle adorait la vivacité de ses intonations et sa jalousie frénétique, immotivée ; il adorait son éclat ténébreux, l'iris pur de ses yeux, l'enthousiasme chaleureux, chatoyant de son sourire.[1] »

Pourtant, le découragement s'installe, Zelda est tout le temps malade et d'humeur chagrine dans l'oisiveté, sa colite les fait partir en cure à Salies-de-Béarn en janvier 1926 et Scott s'achète immédiatement un béret basque. Descendus à l'hôtel Bellevue, il se repose dans une chambre en pin inondée du soleil qui descend des Pyrénées :

---

1. *Les Enfants du jazz*, p. 257-258.

« Il y avait un bronze d'Henri IV sur le manteau de la cheminée dans notre chambre, parce que sa mère y était née. Les fenêtres condamnées du casino étaient couvertes de fientes d'oiseaux. Dans les rues remplies de brume, nous avons acheté des cannes à bout ferré et nous nous sommes sentis découragés par tout. Nous avions une pièce jouée à Broadway et le cinéma nous avait fait une offre de soixante mille dollars, mais nous étions fragiles comme de la porcelaine à ce moment-là et cela ne semblait pas avoir la moindre importance[1]. »

« Fragiles comme de la porcelaine », Scott en a une conscience aiguë. Il se sent vieillir, mais il y a des embellies, la nouvelle *The Rich Boy* paraît dans le magazine *Red Book* et la version théâtrale de *Gatsby*, par Richard Owens, est à l'affiche à Broadway, Fitzgerald fait paraître son troisième recueil de nouvelles, *All the Sad Young Men* en février 1926. Au même moment sort en librairie la version française de *Gatsby* sous-titrée « L'amour et le plaisir en Amérique », traduite par un ami de Supervielle, Victor Llona. Fitzgerald est ravi, sans bien mesurer que s'est perdue la subtile mélodie de sa prose musicale. Cocteau se laisse séduire, affirmant au traducteur que c'est une chose rare et un

---

1. « Conduisez M. et Mme F. à la chambre... », in *Un livre à soi*, p. 144.

livre céleste. Quelques critiques mentionnent la sortie du roman mais il faudra attendre le numéro de juillet 1927 de la *NRF*, sous la plume de Armand Lanoux, pour que survienne un commentaire plus percutant : « Autour d'un Trimalchio bootlegger, ce roman dépeint la vie des équivoques richards new-yorkais dans une atmosphère d'orgie, de scandales et de crimes. Il faut lire ce témoignage pour méditer la tragédie d'une société qui emprisonne Dieu dans une liasse de dollars et Satan dans une bouteille de whisky. »

Malgré cette traduction médiocre, reprise successivement par les éditions du Sagittaire (1946), le Club français du livre (1952 et 1959), les éditions Grasset et le Livre de poche en 1962, le roman fait son chemin en France, éclairé notamment par les préfaces de Bernard Frank, Antoine Blondin et de Jean-François Revel sensible au rythme, aux décors, aux dialogues, qui salue un roman très réussi où il note « la beauté des sensations, des descriptions, des couleurs et des lumières, des robes et des rideaux, des bruits de voix, des impressions de froid, de chaleur, de jour, de nuit, des passages de l'intérieur à l'extérieur des maisons… Contours nocturnes de photo détourée, palpitations diurnes de stores qu'agite le vent dans la fournaise caniculaire[1]. » La fortune du roman sort elle aussi de l'ordinaire avec cinq traductions

1. Jean-François Revel, préface à *Gatsby le Magnifique,* le Livre de poche, 1962, p. 22.

en français en moins d'un siècle, en 1926, 1976, 1991, 2011 et 2012[1].

Ainsi Jay Gatsby et ses non-dits fait-il régulièrement peau neuve, comme un prodige prêt à renaître, avec sa poésie de l'équivoque qui titille les esprits, et son cœur qui chavire. Gatsby, le solitaire, le romantique, n'en finit pas de nous intriguer et de nous héler avec sa formule fétiche « old sport » qui devient tour à tour « vieux frère », « cher vieux », « très cher » ou « mon vieux » lors des successives résurrections de sa vie de château. À ce propos, l'excellent traducteur Jacques Tournier précise en 1996 : « C'est intraduisible. Il y avait “vieux frère” dans la première traduction. J'ai essayé “vieille branche” et d'autres familiarités, sans succès. La difficulté est double : c'est à la fois snob et ridicule, Gatsby a volé la formule à Oxford en imaginant qu'elle est le comble du chic, alors que les gens bien nés, les aristocrates savent que c'est le comble du ridicule. C'est l'éditeur qui m'a soufflé “cher vieux”, plus anonyme, discret[2]. »

Les adaptations pour le cinéma tentent encore les meilleurs esprits dont l'écrivain Truman Capote en

1. Victor Llona (1926), Jacques Tournier (1976), Michel Viel (1991), Julie Wolkenstein (2011), Philippe Jaworski (2012).

2. Jacques Tournier, in « Jacques Tournier traduisant *Gatsby* », *Le Magazine littéraire*, n° 341, mars 1996, p. 29.

1972, qui en fait ce commentaire très pertinent : « J'ai aussi terminé récemment un scénario à partir de *Gatsby le Magnifique*, livre qui est presque la perfection en matière de roman bref (ou, à vrai dire, de longue nouvelle), mais qui est aussi un calvaire lorsqu'on envisage son éventuelle dramatisation. En effet, l'œuvre tout entière ou presque consiste en une exposition d'événements bien antérieurs et en scènes qu'on pourrait appeler hors-scène. Personnellement, j'aime assez mon adaptation mais les producteurs – Paramount Pictures – sont d'un avis différent[1]. » Capote touche cent trente-cinq mille dollars mais Francis Ford Coppola lui brûle la politesse. Il n'empêche, Truman Capote établit un rapprochement avec Henry James dont il vient de faire le scénario du *Tour d'écrou*, qui donnera *Innocents* à l'écran. On voit par là la fine complexité de la structure de Fitzgerald malgré sa limpidité apparente et son art du mystère hors-champ, le mouvement de retour en arrière qui porte en germe l'écroulement d'un rêve.

Le carnaval doré d'une Riviera de riches exilés

Dès le mois de mars de cette année 1926, Scott et Zelda sont attendus par leurs amis de la Côte et s'ins-

---

1. Truman Capote, « Autoportrait », in *Les chiens aboient*, Gallimard, coll. « L'Étrangère », 1977, p. 216-217.

tallent à la Villa Paquita à Juan-les-Pins. En mai, les Hemingway viennent rejoindre les Murphy, les MacLeish et les Fitzgerald, tous bien convaincus que c'est l'endroit idéal pour travailler et fuir le monde. En juin, Scott fait part en toute amitié de ses observations sur le manuscrit du roman *Le soleil se lève aussi*, qu'il trouve superbement écrit, et dresse une liste de corrections et suggestions qu'Hemingway suivra pour la plupart. Il en ira de même, en 1930, pour *L'Adieu aux armes*. Ernest et Hadley Hemingway sont hébergés chez les Murphy, à la Villa America enfin terminée, avec sa grande terrasse et ses jardins paysagés en pente vers la grève, très beau lieu qui servira d'extérieur pour le roman de Fitzgerald *Tendre est la nuit* quelques années plus tard. Mais le fils Hemingway, John, né en 1913, contracte la coqueluche et doit être mis en quarantaine, si bien qu'aussitôt, Scott et Zelda offrent leur villa encore louée pour six semaines et partent s'installer à la Villa Saint-Louis, plus vaste et située un peu plus loin. Ils y resteront jusqu'à la fin de l'année. La grande maison donne sur la mer, avec une plage privée, le casino est tout proche, les nuits sont pure magie. Scott écrit à Perkins qu'il est très heureux, qu'il apprécie pleinement ce temps rare, précieux, où la vie semble si belle. L'ambiance, extraordinaire, est à l'euphorie : on roule sur la Grande Corniche au crépuscule, Scott et Zelda, une pivoine piquée dans les cheveux, passent les nuits dehors, ils sont inséparables, comme hypnotisés par un certain regard de l'autre, en quête d'extravagance, de fantastique. Les Américains achètent des chemises bleues d'ouvriers, et la mode est lancée. Le franc perd du terrain, le dollar les fait riches, avec les estivants au complet, adieu les bonnes résolutions. En juin, Scott ne travaille plus, il parle, boit avec les amis, regarde les couchers de soleil, comme sortis des tableaux de Turner. On se rend visite les uns les autres. Les trois voitures s'arrêtent, comme sur un carrousel, si bien qu'à la fin de l'été, la grille de fer forgée est hérissée de bouteilles, vestiges des libations.

«J'ai créé toutes les fêtes, tous les triomphes, tous les drames, écrivait Rimbaud à sa sœur Isabelle, j'ai essayé d'inventer de nouvelles fleurs, de nouveaux astres, de nouvelles chairs, de nouvelles langues. J'ai cru acquérir des pouvoirs surnaturels. Eh bien, je dois enterrer mon imagination et mes souvenirs.» Scott pourrait tout aussi bien l'écrire à sa sœur Annabel, mais l'enfance à Saint Paul est désormais bien loin. Leur Amérique aussi est très loin, qui fait désormais un triomphe à *Rhapsody in Blue* de George Gershwin. Et Scott de prendre conscience, dans un soupir mélancolique, qu'il y a de la névrose dans l'air, que ses histoires ont le parfum du désastre, que ses belles créatures courent à leur perte et que les montagnes de diamants s'effondrent comme neige au soleil. Tout se passe en plaisirs qui semblent bien futiles, en mise en scène de soi et en tenues de fête. Il n'est que de songer à l'étonnant épisode de la rencontre intime de Gatsby et Daisy : « Il sortit une pile de chemises et se mit à les jeter, l'une après l'autre, devant nous, chemises en batiste fine, en soie épaisse, en flanelle mince, qui perdaient leurs plis en tombant et couvraient la table d'un désarroi multicolore. Pendant que nous les admirions, il en apporta d'autres et le mol et riche entassement continua de monter – chemises à raies, à entrelacs et à carreaux, corail, vert pomme, lavande, orange pâle, ornées de monogrammes, bleu indien. Soudain, avec un bruit tendu, Daisy baissa la tête et éclata en un orage de larmes[1]. » Les sanglots sont amortis mais dans le luxe.

Aux soirées arrosées succèdent parfois les disputes. Scott et Zelda sont divisés sur la personnalité d'Hemingway qui rentre d'Espagne avec le manuscrit de son premier roman, *Le soleil se lève aussi*, qu'il confie à Scott en lecture. Elle trouve Hemingway faux, un raseur qui ne pense qu'à leur emprunter de l'argent ; lui admire Hem pour ses exploits physiques, car il boxe, il chasse, il a même été grièvement blessé à la guerre. Scott aime les gens simples, accessibles, Zelda surprend par sa vivacité, mais il lui faut des médicaments et, un soir, une piqûre de morphine. Parfois, au fort d'une querelle, elle jette ses affaires dans une malle qu'elle traîne dehors, et

1. *Gatsby le Magnifique*, *op. cit.*, p. 139.

attend dans la rue. Elle monte se coucher lorsqu'elle est fatiguée et laisse la malle. Dans l'entourage, nul ne dit mot, ils sont parfaits en société, même s'ils se donnent des frayeurs lorsqu'ils plongent ensemble à toute heure du jour et de la nuit depuis les rochers. Ils font les fous, ils font scandale, Scott admire Murphy aussi bien qu'Hemingway mais il entend faire de la provocation un art et dit à qui veut l'entendre qu'il est alcoolique. Triste mois d'août. Pour le geste, il fracasse un superbe verre de Venise lors d'un dîner chez les Murphy ; Gerald lui interdit sur-le-champ l'accès de la Villa America pour trois semaines. Un soir où ils sont les derniers au casino, Zelda remonte ses jupons et se met à danser, seule, magnifique, au bord de la transe.

Cette fin 1926 ne manque pas d'évoquer *Une saison en enfer* : « Jadis, si je me souviens bien, ma vie était un festin où s'ouvraient tous les cœurs, où tous les vins coulaient... » Fitzgerald écrit à Perkins que ces deux années et demie passées en Europe l'ont mûri, qu'elles comptent pour dix, qu'il se sent vieux, que, même avec les moments douloureux, il ne fallait pour rien au monde les manquer. Et surtout, sur cette Côte d'Azur, dans l'atmosphère élitiste de la Garoupe, il a écrit son roman flamboyant, *Gatsby le Magnifique*, diamant de la littérature américaine. Le film vient de sortir. Toujours au bord de l'extrême, toujours en point de mire et en effervescence, Scott et Zelda sont flamboyants. Scottie a cinq ans à peine mais déjà elle est élevée pour devenir une future garçonne, belle et gaie, et pour faire ce qui lui plaira. Cependant Scott note dans son carnet que sa santé est fichue, que Zelda est souvent souffrante, que l'année a été futile voire inutile, qu'il est dégoûté de lui-même. Comme ils sont à court d'argent, il faudrait renoncer à la dissipation, écrire un nouveau roman. Il le sait, Antibes a été leur paradis, mais il faut partir. On s'embarque à Gênes sur le *Conte Biancamano,* on débarque à New York où tout va plus fort et plus vite que jamais, c'est la fuite perpétuelle. Puis c'est Noël à Montgomery, une halte à Washington où les parents de Scott habitent maintenant et vont garder Scottie, enfin cap à l'ouest vers la Californie, comme si la vie était toujours ailleurs et sur d'autres rivages.

Sous les palmiers d'Hollywood

Ailleurs, comme si les vitrines des libraires, les colonnes des magazines ne suffisaient plus, parce que le cinéma, cette fierté de l'Amérique, a véritablement pris son essor du muet au parlant. Fitzgerald va s'en approcher en ce début d'année 1927, au moment où la première version de *Gatsby* sort sur les écrans, car il vient d'être invité par un grand studio à Hollywood. 1927, année du premier film parlant, chantant devrait-on dire, avec sa vedette, Al Jolson, dans *Le Chanteur de jazz.*

Logés à l'ultra-chic Hôtel Ambassadeur, avec ses bungalows dans le grand jardin tropical, les Fitzgerald y découvrent une autre vie et la splendeur étrange de la cité des anges et de sa côte. Scott, qui a un contrat avec United Artists, doit écrire *Lipstick*, un scénario pour l'actrice très en vue Constance Talmadge. Jusque-là, il n'a jamais écrit pour le cinéma mais on lui propose douze mille dollars si le scénario est accepté, sinon il en touchera trois mille cinq cents. Le bungalow voisin abrite les amours de l'actrice Pola Negri et de John Barrymore qui a triomphé dans *Robin des Bois* en 1922 et dans *Le Voleur de Bagdad* en 1924. Aux soirées, on croise les stars, Mary Pickford, qui surprend par son énergie, Lillian Gish, bien fragile, qui a tourné avec Griffith en 1912. Cette vie mondaine, encore inédite pour l'excellent observateur Scott Fitzgerald, inspire la nouvelle *Magnétisme* :

« Ils partirent à la réception. Il s'agissait d'une pendaison de crémaillère, avec orchestre hawaiien et les invités étaient presque tous des vétérans du cinéma. Les gens qui avaient figuré dans les premiers films de Griffith n'avaient encore que trente ans mais on les considérait pourtant comme des vétérans ; les nouveaux venus ne leur ressemblaient pas, et les vétérans le savaient bien. Il y avait autour d'eux une grande dignité et beaucoup de franchise : ils avaient travaillé dans le cinéma à l'époque où le septième art n'était pas encore auréolé par le succès. Leur extraordinaire triomphe ne leur avait pas enlevé leur humilité et ainsi, à la différence de la nouvelle génération, qui jugeait cette gloire naturelle, ils n'avaient pas perdu le contact avec la réalité[1]. »

Zelda s'émerveille des belles maisons, des avenues bordées de palmiers et d'eucalyptus, des somptueux décors des salles de bal avec leurs cascades, leurs plafonds de nuages et d'étoiles. Mais elle se lasse vite et a la nostalgie de Paris, des lumières roses et des rues avec leurs cafés sur les trottoirs. Bientôt elle s'inquiète, parce qu'à Hollywood tout le monde sait danser, chanter et jouer, et elle ne sait pas danser le black bottom, dernier pas à la mode.

Quant à Scott, il trouve la ville tragique et trop pleine de jolies filles, y compris les femmes de ménage. Il vient justement de rencontrer une très jeune actrice, Lois Moran, que l'on retrouvera dans la nouvelle *L'Échelle de Jacob* et plus tard sous les traits de Rosemary dans *Tendre est la nuit*. Bien qu'ayant travaillé d'arrache-pied pendant huit semaines, son scénario n'est pas retenu : c'est une nouvelle déception. Il quitte Hollywood. Il y reviendra, une douzaine d'années plus tard, de nouveau à la tâche et sur d'autres histoires. Dans le train du

---

1. *Un diamant gros comme le Ritz*, *op. cit.*, p. 414.

retour pour Washington où les attend Scottie avec sa nurse, Zelda et Scott se disputent à propos de Lois Moran. Zelda, jalouse, jette par la fenêtre du compartiment la montre-bracelet de platine et diamants offerte par Scott en 1920, au temps de leurs fiançailles en Alabama.

L'ermitage d'Ellerslie

Adieu paillettes et galas, Scott et Zelda rêvent à nouveau de calme et de maison. Ils avancent par cycle, par lubie. Les bons amis de Princeton, John Biggs et son épouse Ann, accompagnés de Max Perkins leur dénichent un havre de paix pour que Scott se remette sérieusement à écrire. Et plutôt des histoires, faute des succès escomptés pour les romans. Dans ces années, le *Saturday Evening Post* tire à plus de trois millions d'exemplaires et chaque numéro, qui compte deux cents pages, draine trois millions de recettes publicitaires. La famille, la classe moyenne constituent son public et la compétition est rude avec d'autres magazines, dont *Liberty*. Dans cette course, l'éditeur George Horace Lorimer, qui a son bureau et ses dessinateurs à Philadelphie, mise beaucoup sur les nouvelles, sur la fiction. Au début, Lorimer prend un risque calculé en publiant Fitzgerald : ses textes plaisent à la jeune génération, tandis que par courrier les parents s'insurgent, dénonçant les atteintes à la bonne moralité de leurs filles ; ainsi, par exemple, la nouvelle *Bérénice se fait couper les cheveux* soulève un tollé. Pourtant, peu à peu, les histoires de Fitzgerald vont modifier le style du magazine, à commencer par les couvertures. Apparaît une fille en maillot de bain une pièce, et, les mois suivants, les réclames montrent des jeunes filles qui dansent et qui se maquillent, puis, cette fois en couverture, une fille à la chevelure coupée court. L'écrivain a donc laissé son empreinte et influencé la mode ! À partir de 1927, Scott Fitzgerald va se consacrer à plein temps à ces textes courts, à trois mille cinq cents dollars pièce, au rythme d'une nouvelle toutes les six ou sept semaines, dans le désert, comme disait Célimène.

Ils s'installent donc à Ellerslie, près de Wilmington, dans le Delaware, en mars 1927. Philadelphie, Baltimore, Princeton sont assez proches pour accepter un ermitage, en l'occurrence une vieille demeure de charme avec des colonnes néoclassiques, un porche et de grandes pelouses au bord de la rivière, une retraite loin de la ville, comme un palace de vingt-sept chambres, loin du monde et du bruit. Mais du bruit, ils vont en faire avec leurs soirées délirantes, comme les appelait Dos Passos. Au printemps, les invitations à venir vivre les longues nuits de juin dans ce cadre bucolique sous les grands marronniers se mettent à pleuvoir. Les amis arrivent de New York en train dès le vendredi après-midi, comme Max Perkins, Dorothy Parker ou l'écrivain de théâtre Thornton Wilder. D'autres encore, en voiture, de Princeton. C'est vite le désordre, l'intendance ne suit guère, Scott charme les femmes, écrit en semaine, en haut, dans son bureau où il cache des bouteilles de gin derrière les rayons de livres ; Zelda s'éclipse pour des petits sommes, on boit beaucoup. Lorsqu'ils donnent un dîner dansant en l'honneur de Cecilia, sa petite cousine de vingt-deux ans, Scott part à New York acheter du vin et du gin pour les invités, il loue un orchestre et quelques serviteurs noirs pour l'occasion. Le séjour de Cecilia est mémorable et mouvementé. En maître des amusements, Scott lance un jeu de polo sur chevaux de trait, avec des maillets et des arceaux de croquet, et, comme il se doit, Cecilia gagne le trophée, une coupe d'argent gravée qui commémore l'événement. On se déguise, on invente, il faut sans cesse de la nouveauté pour alléger le poids de cette campagne isolée. Lois Moran, accompagnée de sa mère, vient leur rendre visite, Scott s'entiche d'un certain Tommy Hitchcock, joueur star de polo qu'il a connu à Long Island et qui le passionne bien plus que Lindbergh, devenu idole nationale. Les soirées se succèdent, comme autant de tentatives pour tromper l'ennui et jouer à l'homme du monde, la vie s'en va en morceaux.

Fitzgerald écrit à son agent Harold Ober pour parler argent, demandant un virement de quatre cents dollars le 12 novembre, de deux cents le 18, de deux cent cinquante le 2 décembre. L'effort financier est trop grand,

Francis Scott Fitzgerald, en 1930. Il a 34 ans.

Portrait de Francis Scott Fitzgerald, alors pensionnaire au collège Newman, en 1912.

Statue de Francis Scott Fitzgerald, St. Paul, Minnesota, États-Unis.

Portrait de Francis Scott Fitzgerald par David Silvette, 1935.

Caricature de l'écrivain par Neale Osborne.

Zelda Sayre, fiancée de Francis Scott Fitzgerald, ici en 1919. Elle a 23 ans.

Zelda et Scott, en 1920. Il a 24 ans, elle en a 25.

Zelda Sayre, en danseuse, 1928.

Francis Scott Fitzgerald, 1925.

Francis Scott Fitzgerald en 1928.

Zelda et Scott, en 1930.

Signature de Francis Scott Fitzgerald.

Francis Scott Fitzgerald et sa fille, Scottie, à Rome en 1924.

Zelda, Scott et leur fille Scottie dans le salon de leur maison de Long Island, en 1924.

Illustration pour la page de couverture du magazine *The Smart Set*, par George Nathan et H.L. Mencken, en 1922, pour la nouvelle de Francis Scott Fitzgerald *Un diamant gros comme le Ritz*.

Couverture de la première édition de *Gatsby le Magnifique*, en avril 1925.

Couverture de l'album *Gatsby le Magnifique*, de Benjamin Bachelier et Stéphane Melchior-Durand. Collection Fétiche / Gallimard, 2013.

Warner Baxter, dans le rôle de Gatsby. Film américain muet, tourné en 1926 par Herbert Brenon.

Alan Ladd, dans *Le Prix du silence*, adapté de *Gatsby le Magnifique*, par Elliott Nugent Ladd, 1949.

Robert Redford, dans *Gatsby le Magnifique*, réalisé en 1974 par Jack Clayton.

Leonardo DiCaprio, dans *The Great Gatsby*, film réalisé en 2013 par Baz Luhrmann.

Ernest Hemingway, en 1929.

Francis Scott Fitzgerald et Adrienne Monnier devant la librairie Shakespeare & Company.

Les Enfants terribles, caricature de Francis Scott Fitzgerald et de John Dos Passos, par Gene Markey.

F. Scott Fitzgerald

POEMS

1911-1940

Foreword by James Dickey

BRUCCOLI CLARK

Scott Fitzgerald commença par écrire des nouvelles et des poèmes qu'il publie dans le journal de son école. Il a alors 15 ans. On connaît le mot de Malcolm Cowley : « Fitzgerald est un poète qui n'apprit jamais les règles de la prose ».

leur train de vie trop élevé : ils dépensent en moyenne autour de quarante mille dollars par an, il faut éponger les dettes des avances, écrire à nouveau des textes brefs, renoncer dans le désarroi à l'interminable aventure du roman. Entre deux phases d'écriture, Scott fait de longues marches solitaires dans les chemins et au bord de la rivière où il croise les pêcheurs. Sur papier à en-tête Ellerslie, Edgemoor, Delaware, il parle aussi argent avec Hemingway, le « Cher Ernest » indiquant que Perkins lui a payé huit cents, donne des nouvelles littéraires, note qu'il n'a rien bu depuis un mois mais que Noël est proche, et conclut sur une évocation de « Pâté de Foie Gras Au Truffles Provêncal » (*sic*).

Leur éternelle hospitalité commence à être connue, si bien qu'à Noël, qu'ils avaient prévu de passer tranquillement auprès du sapin et de la grande maison de poupée de Scottie, construite par Zelda au troisième étage de la grande demeure, les visiteurs affluent, certains s'enivrent, les gens du village s'en viennent avec leurs chants de circonstance et l'affaire tourne au sabbat de sorcières. Scottie pleure, Zelda est sur les nerfs, Scott réagit calmement, considérant toute l'affaire comme un chaos sentimental et festif bien dans la veine américaine. Dans le désordre du lendemain de cette veillée de Noël qui a tourné à une piètre bacchanale improvisée, ce qui lui importe c'est de consoler Scottie, de lui embellir la vie, de raconter toutes sortes d'histoires à sa fille, sa petite fée. Le livre sur Alice

B. Toklas rapporte le témoignage de cette dernière qui a assisté, en compagnie de Gertrude Stein, à cette fameuse soirée de Noël : « Quand la petite descendit pour saluer Alice et Gertrude, celle-ci s'excusa de ne pas lui avoir apporté de cadeau de Noël. "Je ne savais pas que je te verrais. – Vous n'avez rien dans vos poches ?" demanda l'enfant, pleine d'espoir. Gertrude fouilla et trouva un stylo. "Je le garderai en souvenir", dit poliment Scottie avant de remonter se coucher. Zelda, la femme de Fitzgerald, avait quitté, pour la durée des fêtes, le sanatorium où elle avait dû se retirer, sa maladie mentale s'étant récemment aggravée. Alice la trouva "hallucinée, inquiétante et frêle". Elle montra quelques-uns de ses derniers tableaux à Gertrude qui demanda à en garder un. Fitzgerald, raconte Alice, était "poignant, dérangeant et ineffablement beau". C'était la dernière fois qu'ils se voyaient[1]. »

Quelles nouvelles de Saint Paul ? L'année 1927 y est très faste, les journaux font état d'une augmentation de la production de farine, les terres agricoles font un bond de 20 %, les banques se réjouissent de la prospérité économique, une maison de six pièces sur Capitol Avenue se vend six mille dollars, et un duplex sur Dayton Bluff huit mille. Summit Avenue est devenue l'adresse des célébrités : Fitzgerald y a écrit son premier roman à

1. Linda Simon, *Alice B. Toklas, une Américaine à Paris, témoin des Années folles*, Seghers, 1984.

vingt-deux ans, James J. Hill, fondateur du chemin de fer du nord, The Great Northern Railway, y habite, de même que la famille Irvine, équivalente des Rockefeller et des Vanderbilt pour le Minnesota. Leur demeure de vingt chambres, avec grand escalier élégant et lambris d'acajou au salon, construite en 1910 pour cinquante mille dollars, est un monument de l'opulence, que l'architecte Frank Lloyd Wright qualifiera de mausolée monstrueux, sis au numéro 1066 de Summit, désormais la plus longue rangée de maisons victoriennes des États-Unis. En 1927, leur fille Clotilde, dite Coco, âgée de treize ans, écrit son journal intime, *Through No Fault of My Own* («Ce n'est pas de ma faute») qui deviendra, en mars 2012, la pièce *Coco's Diary* (*Le Journal de Coco*), donnée en représentation au Saint Paul History Theater. Publié en 2011 par les Presses de l'Université du Minnesota, *Le Journal de Coco* est une mine de confidences, pleine de ses patins à glace, des cours de danse avec sa robe sans manche de taffetas vert, des petites et grandes bêtises à l'école, des boulettes de morue au menu de la cantine, des chansons passées sur le Victrola. Elle a cinq dollars en coupures de un dollar, comme argent de poche par mois, et dix dollars le jour de son anniversaire, sa mère joue au mah-jong et rejoue ses gains à la Bourse sur les actions du cuivre Kennecott, au grand dam de son père. Tout comme Scott, elle passe ses vacances au bord du lac de l'Ours blanc où sa sœur lit *Les Malheurs de Sophie* en français. Entre deux parties de cartes, Coco raconte l'histoire drôle qui fait fureur à Summit en janvier 1927 : « C'est un chien qui traverse la voie ferrée et le train lui écrase la queue. Le chien se retourne pour voir où est sa queue, mais un train arrive en sens inverse et lui coupe la tête. Moralité : ne perdez pas la tête pour un petit bout de queue[1]. » Monsieur Horace Irvine, son père, trouve l'histoire très inconvenante pour une enfant de son âge et interdit à Coco de la répéter.

Autre histoire d'enfants, celle que Scott et Zelda signent ensemble sous le titre *Park Avenue et sa beauté changeante,* description des promenades des nurses aux mains soigneusement gantées veillant sur les enfants qui roulent leurs cerceaux près des loulous de Poméranie, puis un texte de souvenirs, *Huit ans en arrière*, qui est imprimé, serti de deux portraits des auteurs. Leur séduction opère toujours, le succès leur donne autorité sur les aspirations de leur génération mais il s'agit de petites pièces qui s'apparentent au journalisme d'opinion et de société plutôt qu'à une œuvre littéraire, à proprement parler. Le dilemme éternel de Fitzgerald est toujours le même : la trésorerie rapide ou, aux antipodes, la concentration dans la discipline et la solitude

1. Coco Irvine, *Through no fault of my own, A Girl's Diary of Life on Summit Avenue in the Jazz Age*, University of Minneapolis Press, 2011, p. 7.

qui assure le travail ambitieux. Bref, la sollicitation immédiate, la facilité et la dispersion, la rentabilité ou l'engagement de longue haleine qui implique une véritable discipline. L'isolement ne lui vaut rien : au pensionnat, à Princeton, à l'armée, à Paris, il a toujours été dans la mouvance d'un compagnonnage, à l'écoute du bruit des autres, de leurs mouvements et de leurs projets. Dans cette campagne qui le met au ban du monde, où il entend parfois le silence de la mort, il lui faut de la compagnie, et, comme Gatsby, il cherche à faire la fête à tout prix. Il est vrai qu'il a alors trente et un ans, qu'à New York, au même moment, c'est l'immense triomphe de *Showboat,* la comédie musicale de Kern et Hammerstein, prétexte aux soirées brillantes de Broadway.

Le salut pour Zelda va venir de Philadelphie et de la danse. Elle songe d'emblée à devenir une Pavlova et, à vingt-sept ans, elle reprend des leçons, cette fois auprès d'une disciple d'une danseuse de Diaghilev, à l'école de ballet Catherine Littlefield. Elle s'achète un immense miroir doré au cadre orné de chérubins et de guirlandes et fait poser une barre dans l'une des grandes pièces donnant sur le jardin, si bien qu'aux arabesques du miroir répondent celles de Zelda et de Scottie qui débute, elle aussi, à cette occasion. La danse, un vieux rêve pour elle qui avait fugacement songé à devenir une Ziegfeld Girl, dans les *Follies*, une danseuse de revue. Excessive, enragée, elle s'y lance avec une farouche ardeur, pour exister enfin par elle-même et n'être plus seulement la partenaire, l'ornement, l'ombre de l'écrivain à succès.

L'invitation à donner une conférence à Princeton, envoyée à Scott en janvier 1928, est plus que bienvenue, elle émane du Cottage Club même et l'on se souvient qu'il avait été suspendu en 1920 du Club pour ébriété suivie d'inconduite. Scott retrouve avec grand plaisir l'herbe usée de l'esplanade de son campus, les briques de Nassau Hall, les prairies bordées d'ormes, les fenêtres ouvertes sur les idées et sur la vie. L'ouverture, le maître mot : il étouffe à la campagne, dans l'isolement. Prudent, son hôte l'empêche cette fois de boire, mais au moment de lancer son allocution devant les Princetoniens, il bredouille quelques phrases, incapable d'improviser le discours attendu sur son parcours d'écrivain. C'est l'embarras mais on passe au fumoir où se racontent les éternelles histoires de fac, les plaisanteries salaces qu'il déteste et il finit par noyer son chagrin à une soirée dans l'une des résidences privées. Une réception chasse l'autre, Fitzgerald donne, fin février, au retour d'un voyage au Canada, une soirée à Ellerslie en l'honneur d'Edmund Wilson, son cher Bunny, sorte de figure paternelle. C'est aussi pour lui l'occasion d'inviter quelques vieux amis de Princeton et du monde des lettres. L'intimité aidant, ils échangent sur leurs parcours professionnels et Scott est totalement pris de court lorsque soudain, dans cette ambiance de camaraderie détendue, on lui dit qu'il mène une vie totalement sans intérêt. Et chacun de s'empresser de rire. Il n'empêche, ce jugement n'est pas isolé, Max Perkins s'inquiète, le roman n'avance pas car Fitzgerald s'est remis à écrire des histoires pour le *Post,* ce qui ne manque pas de le démoraliser. Par ailleurs, son médecin lui prescrit de faire de l'exercice et de boire moins.

L'alcool, l'argent, ces compagnons quotidiens dont il est devenu si dépendant ! Zelda commence à dire que l'alcool peut ruiner un mariage, elle-même devient capricieuse, sa beauté s'altère et se durcit, elle va jusqu'à accuser Scott de plagier ses lettres et ses carnets pour nourrir ses histoires. Elle n'hésite pas à aller plus loin : selon elle, il l'empêche même de se faire une place dans l'écriture, ne serait-ce que dans les magazines populaires. Zelda a commencé à peindre à Capri, en 1925, maintenant c'est, on l'a vu, la danse qui l'obsède, mais son ambition de devenir ballerine survient vingt ans trop tard. En a-t-elle conscience ? L'ennui la gagne, elle se perd. Dans sa correspondance de 1927 avec ses amis, elle se répand en excuses sincères, en regrets d'avoir trop bu et d'avoir ainsi gâché la soirée ; elle peste contre la nouvelle nurse de Scottie, une impertinente de Montmartre, pétillante certes, mais à qui elle ne fait guère confiance dès lors qu'elle doit s'absenter quelques jours chez des amis. En mars 1928, la coupe est pleine : pour elle, Wilmington est comme le trou noir de Calcutta. Elle a envie de chablis, de curry, de fraises des bois et de pêches au champagne, confie-t-elle à Carl Van Vechten, son ami. Et surtout, il lui faut une ambiance, de l'intrigue, il lui faut retrouver Paris. Les histoires de Scott publiées dans le *Post* y pourvoiront ; dans l'immédiat, tout le monde part en vacances chez la cousine Cecilia, en Virginie.

La tentation du Ballet russe

58, rue de Vaugirard, c'est l'adresse du printemps et de l'été 1928, à deux pas du Luxembourg, pour que Scottie puisse jouer dans les jardins et avec les enfants des Murphy. Ce Luxembourg où Gertrude Stein et Alice viennent prendre l'air, duquel Natalie Barney et Sylvia Beach sont toutes proches. Quel bel été ! où l'on retrouve John Bishop ; où Sylvia Beach invite Joyce – venu du square Robiac au 192 rue de Grenelle – et Fitzgerald à dîner, avec Adrienne Monnier, André et Lucie Chamson ; où Scott fait un dessin sur la page de garde de *Gatsby le Magnifique* en guise de dédicace ! Cette soirée mémorable comme un coup de foudre dans un climat d'amitiés déjà complices se poursuit par la visite à André Chamson qui habite derrière le Panthéon, au sixième étage : Scott virevolte, sautille sur le balcon et chante qu'il est Voltaire, Victor Hugo, Rousseau en lançant des harangues à leurs statues. Chamson, qui a alors vingt-six ans, est sous le charme, Scott lui rappelle le romantisme d'Alfred de Musset : même vanité, même lyrisme, même désir de garder sa jeunesse. Tant d'énergie, tant de fantaisie, voilà ce qui frappe les convives : Fitzgerald s'intéresse à tout et à tous, sortant du cercle américain. Un taux de change du dollar très favorable fait qu'une nouvelle écrite en quelques semaines rapporte un petit magot, jusqu'à cent mille francs de l'époque, Paris devient alors une fête de tous les instants. Scott s'en amuse et envoie des lettres drolatiques à Hemingway :

« Papa de mon cœur, Torero, Gourmand, etc...
Il me revient aux oreilles

-a. que tu as parcouru le Kansas en vélo, en mâchonnant et en crachotant un mélange de viande de chèvre et de chicorée, spécialités que les gens du coin vendent pour les artères et l'estomac

-b. que Bumby a gagné une bourse Benjamin Altman à l'école Cundle ainsi que des prix en épistémologie comparée, en maladies des cormorans et petits vautours, en gynécologie amateur et spasmes de l'intestin

-c. que tu vas faire un combat avec Jim Tully à Washdog dans le Wisconsin le jour de la Décoration avec une ceinture de chasteté et une coupe de cheveux à la garçonne

Est-ce que c'est vrai ?

....

Ton ami dévoué
Scott Fitzg- »

Hemingway, comme son double, est toujours présent dans ses pensées – onze lettres de Scott à Hem sont encore conservées – et il le cite une soixantaine de fois à ses autres correspondants. À titre de comparaison, dans son panthéon littéraire, Mencken apparaît vingt fois, Joseph Conrad dix-neuf fois, comme Thomas Wolfe, Dos Passos ainsi que Gertrude Stein quatorze. Enfin, il faut citer Wharton, Dreiser et Steinbeck. Toute sa vie, Fitzgerald sera un grand lecteur.

Une chose est sûre, il faut sortir, car leur appartement ressemble, disent-ils, à un décor du musée Grévin. Il faut voir du monde, le cinéaste King Vidor, les amis de Murphy, Cole Porter, Fernand Léger, l'écrivain Thornton Wilder, le champion poids lourds Gene Tunney, et du beau monde. Gerald Murphy, qui fréquente la troupe des Ballets russes, présente Zelda à madame Lubov Egorova, directrice de l'école de ballet de la troupe de Diaghilev. Ancienne danseuse étoile, elle fascine son élève américaine à qui elle donne des cours particuliers et qu'elle invite parfois chez elle, rue Caumartin. Zelda se met alors à travailler fiévreusement, jusqu'à huit heures par jour. Elle danse, danse pour remplir ses journées, maîtriser ses émotions, pour enfin gagner une confiance en elle et donner un sens à sa vie. Elle s'épuise, elle maigrit, elle ne parle plus que de cela lorsque Scott l'emmène pour une choucroute chez Lipp, alors que lui songe à ses textes parus dans le *Saturday Evening Post* et le *Post*, ou lorsqu'ils se promènent dans la froide et humide rue Bonaparte. Elle invite les Murphy à venir la voir danser au studio : ils sortent consternés face à tant d'efforts devant le grand miroir incliné qui renvoie, impitoyable, les traces d'un corps torturé et l'âge d'une ballerine qui, elle aussi, s'accroche à sa jeunesse. La fatigue s'abat sur eux, tout à coup, il leur semble que Paris devient irrespirable, qu'il y a trop d'Américains, affluant par sinistres cargaisons, déglutis par un pays trop prospère. Où est passée la vie si brillante et légère ? Pour son trente-deuxième anniversaire, en septembre, Scott inscrit dans son journal une appréciation lapidaire, comme à son habitude : l'année se résume à une atmosphère d'ennui, faute d'aucun but précis.

Ils accostent à New York en septembre 1928, après une traversée houleuse. Fidèle, Max Perkins les attend, constate que la note de vins à bord s'élève à près de deux cents dollars, que le manuscrit promis n'est pas prêt, que Scott est un peu embarrassé par l'avance de huit mille dollars consentie par Scribner, mais qu'il est plein de bonnes intentions, délicieux lorsqu'il remercie pour la confiance qu'on lui accorde et avoue ses découragements passagers. Mais il fait ses comptes : en neuf ans, il a publié trente histoires dans le *Post* qui le paie désormais trois mille cinq cents dollars chaque nouvelle. Les récits de son enfance à Saint Paul, écrits de mars 1928 à février 1929, séduisent par leur fraîcheur et leur sincérité. Quant aux rentrées d'argent de l'année, elles s'élèvent à 29 738 dollars et leur ont encore permis de maintenir leur train de vie de cigales, chantant tous les étés.

Le retour à Ellerslie est calamiteux, on se querelle, on boit trop, on cherche la bagarre, Biggs doit venir chercher Fitzgerald plusieurs fois au poste de police, la nuit. Scott a ramené Philippe, un chauffeur de taxi de Saint-Cloud, boxeur à ses heures, la *nanny* de Scottie est renvoyée en France. Hemingway passe les voir avec Pauline Pfeiffer, sa nouvelle épouse ; les deux hommes parlent football, après le derby Princeton-Yale, Scott boit trop et perd connaissance. Zelda s'épuise à danser – elle prend à présent des cours trois fois par semaine –, et aide Scottie à faire, elle aussi, des exercices à la barre. Elle écrit une série centrée sur la vie de six jeunes filles pour *College Humor*, se remet à peindre. Mais la tension dans le couple est telle que lorsque le bail de deux ans s'achève en mars 1929, le soulagement est général. Avant de repartir en Europe, Scott et Zelda vont rendre visite aux parents Fitzgerald, très attachés à leur fils. C'est la dernière fois que Scott voit son père. Après sa mort, il l'évoquera avec tendresse :

> « Je l'adorais – toujours au plus profond de mon inconscient, j'ai référé mes jugements à lui, à ce qu'il aurait pensé ou fait. Il m'aimait et se sentait une grande responsabilité à mon égard... Nous marchions dans le centre de Buffalo le dimanche et mon col en celluloïd blanc était raide d'amidon, et il était très fier de marcher avec son beau petit garçon. Nous faisions cirer nos chaussures et il allumait son cigare, et nous allions acheter les journaux du dimanche[1]. »

Il n'empêche, cette période s'achève, aux yeux du public, par une belle réputation littéraire et l'immense estime que lui valent successivement ses recueils de nouvelles, brillantes confessions d'un enfant du siècle, et son roman de la maturité, *Gatsby le Magnifique*. L'imagerie le consacre désormais dans la fête, dans la recherche de l'éblouissement et d'une griserie romantique. Si Hemingway habite la légende des lettres américaines, son fusil de chasse en bandoulière et un attirail de pêche au gros sur les genoux, Fitzgerald a pour attributs iconiques le Ritz, le champagne et les coupés décapotables. Et pourtant, la question se pose : le mythe

1. *Un livre à soi*, *op. cit.*, p. 302.

Fitzgerald n'a-t-il pas enfermé l'écrivain dans une imagerie trop facile ? C'est bien l'avis de Philippe Sollers : « À propos de Fitzgerald, on rejoue sans arrêt le même film composé de clichés : héros désenchanté, Musset de l'autodestruction, ivresse de la perdition, persécuteur de Zelda, persécuté par lui-même, Côte d'Azur et crise de 1929, imprévoyance, dépenses et alcool. Or il faut lire un écrivain selon ce qu'il dit, selon ce que ses phrases expriment, et non ce que l'on en dit[1]. »

Ce qui amène à le rapprocher d'Alfred Hitchcock et Franz Kafka avec leurs atmosphères de culpabilité, leurs innocents dans un monde coupable. Sollers, à juste raison, nous alerte sur la légende dont « on raconte l'imagerie avec les bons sentiments qui s'imposent. À travers cette vision de la littérature, on répand une espèce de propagande sous-jacente, en général romantico-nihiliste qui tourne à une bien-pensance suggérée ». Déjà dans *La Revanche de Scott Fitzgerald,* texte repris en 1966 dans *Éloge de l'Infini,* Philippe Sollers insistait sur ce point essentiel, Fitzgerald ne ment jamais : « Dès 1920, en plein triomphe de *L'Envers du paradis* (il a vingt-quatre ans), il écrit : “L'histoire de ma vie est celle du conflit entre un besoin irrésistible d'écrire et un concours de circonstances acharnées à m'en empêcher.” Il a observé au plus près ces circonstances. Il s'est laissé

1. Philippe Sollers, « Un innocent dans un monde d'images », *Transfuges,* hors-série n° 2, été 2007, p. 56.

couler jusqu'à leur source jusque-là cachée. "Toute vie est bien entendu un processus de démolition." Dites-nous comment et pourquoi, et, s'il vous plaît, pas d'attendrissement inutile. Quand Fitzgerald, en 1936, publiera *La Fêlure*, ce chef-d'œuvre, tout le monde sera gêné. *The Crack-up* : entendez aussi le mot qui fait peur, *krach*. La "banqueroute émotionnelle" suit celle de la Bourse et annonce l'ère du faux généralisé s'imposant à travers le cinéma. L'argent, l'alcool, la folie, le spectacle : tels sont les obstacles qui se dressent devant l'écrivain en voulant sa mort. »

Ironiquement, en guise de bilan des quinze dernières années d'ivresse et de fêtes, Scott donne une autobiographie bien dans son style de potache provocateur et d'enfant gâté au *New Yorker,* qui paraît le 25 mai 1929. Y frémit un sourire coupable derrière l'évident sens de l'effet :

1913

Les quatre whiskys de défi Canadian Club au Susquehanna à Hackemack.

1914

Le grand champagne occidental bu dans Trent House à Trenton et le voyage de retour hébété à Princeton.

1915

Le bourgogne pétillant au Bustanoby. Le whisky brutal à White Sulphur Springs, dans le Montana, lorsque j'étais monté sur la table pour chanter *Won't you come up* aux cow-boys. Les Stinger au restaurant Tate à Seattle, écoutant Tate Muldoon, ce « type malin ».

1916

Le calvados siroté dans les vestiaires du White Bear Yacht Club.

1917

Le bourgogne de premier ordre avec monseigneur X au Lafayette. Cognac à la myrtille et whisky avec Tom au vieux Nassau Inn.

1918

Le bourbon apporté en cachette dans les chambres des officiers par les garçons d'étage au Seelbach à Louisville.

1919

Les cocktails Sazerac rapportés de La Nouvelle Orléans à Montgomery pour célébrer un événement important.

1920

Vin rouge chez Mollat. Absinthe dans une suite hermétiquement close au Royalton. Liqueur de maïs au clair de lune sur un terrain d'aviation désert en Alabama.

1921

Abandonnant notre champagne au Savoy Grill le 4 juillet quand un ivrogne nous a rejoints avec deux dames qui venaient de toute évidence de Piccadilly. La chartreuse jaune à Rome, via Balbini.

1922

Les cocktails à la crème de cacao de Kaly à Saint Paul. Ma première et dernière fabrique de gin.

1923

Océans de bière canadienne avec R. Lardner à Great Neck, Long Island.

1924

Les cocktails au champagne sur la rivière Minnewaka et nos excuses à la vieille dame que nous avons tenue éveillée. Le graves Kressman à la Villa Marie à Valescure et les disputes qui ont suivi avec la gouvernante à propos de la politique britannique. Porto blanc à des moments de tristesse. Mousseux offert par un Français dans un jardin au crépuscule. Chambéry fraise avec les Selde pendant leur lune de miel. La production locale commandée sur le conseil avisé d'un prêtre sympathique à Orvieto, quand nous avions demandé des vins français.

1925

Un vin blanc qui « ne voyagera pas », fait au sud de Sorrente, que je n'ai jamais pu retrouver. L'intrigue coagulée – son de sabots et de clairons. Le splendide vin d'Arbois à La Reine Pédauque. Champagne dans l'atelier du Ritz à Paris. Les vins pauvres de chez Nicolas. Kirsch dans une auberge de Bourgogne, après la pluie avec E. Hemingway.

1926

Saint-Estèphe peu intéressant dans un trou désolé appelé Salies-de-Béarn. Sherry sur la plage à la Garoupe. Le cocktail à la grenadine de Gerard M., la seule erreur pour rendre tout parfait dans la plus parfaite maison du monde. Bière et saucisses avec Grace, Charlie, Ruth et Ben à Antibes, avant le déluge.

1927

Vin de Californie délicieux comme un bourgogne dans un des bungalows de l'Ambassador à Los Angeles. La bière que j'ai fabriquée dans le Delaware qui avait un sédiment sombre impossible à éliminer. Caisses de whisky obscur, coupé et peu satisfaisant dans le Delaware.

1928

Le pouilly avec la bouillabaisse chez Prunier à une époque de découragement.

1929

L'impression que tout l'alcool a été bu et que tout ce qu'il peut apporter a été déjà expérimenté : « *Garçon, un Chablis Mouton 1902 et pour commencer une petite carafe de vin rosé. C'est ça, merci*[1]. »

Une carafe d'eau, à l'évidence, n'étanchait pas la fièvre de vivre de ce grand gosier assoiffé.

1. En français dans le texte. *Un livre à soi*, *op. cit.*, p. 115-117.

La fêlure

Nouvelles pérégrinations

Au mois de mars 1929, les Fitzgerald quittent New York et accostent à Gênes pour passer un mois sur la Riviera, lieu enchanteur qui les fascine toujours par son délicieux mélange de luxe, de richesse et de frivolité. Ils s'arrêtent cette fois à Nice, au Beau Rivage, l'hôtel où Matisse a peint en 1918 son magnifique tableau *Intérieur au violon* avec ses volets à lattes mi-ouverts sur la plage, la mer et la cime du palmier. Fitzgerald aussi est séduit par les vives clartés, par ce lieu qui tempère la lumière aveugle de la Méditerranée derrière les vitraux somptueux de ses nombreuses fenêtres. Mais il fait froid le long de la Promenade des Anglais, ils sont pressés, déçus par la bouillabaisse, la salade niçoise, les ballets du casino, sans compter un esclandre qui lui vaut un passage au commissariat. Alors ils remontent à Paris où ils trouvent Hemingway avec Pauline Pfeiffer, qui travaille alors pour le magazine *Vogue*. Fille d'un homme d'affaires fortuné, elle leur permet d'emménager dans un très bel appartement où se peaufinent les derniers détails de *L'Adieu aux armes.* Fait nouveau, Hem commence à prendre un peu de distance avec les Fitzgerald, demandant même à Perkins, leur éditeur, de ne pas communiquer son adresse (au 6 rue Férou, tout près de Saint-Sulpice) à Scott qu'il cherche à éviter, lassé qu'il est de l'alcool, du déséquilibre de Zelda, qui le traite de tapette à la poitrine velue. Au reste, les Fitzgerald sont de méchante humeur, car, pour faire des économies, ils sont descendus dans un hôtel neuf dont ils n'aiment pas la table d'hôtes, si bien qu'ils dînent tous les soirs dehors et s'aperçoivent que les autres sont bien mieux logés, au Port-Royal et ailleurs, dans le pittoresque et la proximité des grands feux de cheminée. Insatisfaits, ils bougent de la rue de Mézières à la rue Palatine, toujours nomades, toujours en fuite d'eux-mêmes.

Ces expatriés américains entendent bien jouir de leur éloignement choisi, d'un certain exotisme et, plus que tout, de l'ambiance fluide du côté de Montparnasse et de Montmartre qui se double à tout instant d'une stimulation nouvelle, tant le terreau de Paris est fertile en artistes arrivés de partout. Fitzgerald ira jusqu'à déclarer à un journaliste qu'il n'a rien à dire sur l'administration Hoover, pas plus que sur Lindbergh ou la Prohibition, grands sujets des débats nationaux du moment outre-

Atlantique, ni d'ailleurs sur l'exil de Trotski. De même, Zelda, elle aussi, n'en a cure ; elle écrit des nouvelles pour payer ses leçons de danse, textes qui seront en fait publiés sous leur double signature, éternelle source de chamailleries entre eux. Vient l'été et la migration vers le Sud : ils roulent toute la nuit jusqu'à Fréjus, puis c'est la villa Fleur des Bois, au 12, boulevard Gazagnaire, qui les accueille à Cannes, avec sa grande arche végétale à l'entrée et sa volée de marches. Ils s'y installent de juillet à octobre. Une fois de plus, on achète une Renault, on roule sur la Grande Corniche au crépuscule, avec toute la Côte d'Azur qui scintille en contrebas. Ce n'est pas seulement Monte-Carlo que Fitzgerald contemple, mais bien le souvenir d'un jeune homme aux semelles de carton qui jadis arpentait New York, avec tous ses rêves. Plus que jamais décidée à se faire reconnaître, Zelda travaille et obtient quelques engagements à Nice et Cannes. Comme toujours, on se baigne, on sort, on s'invite, mais la relation fidèle avec les Murphy s'est tendue, car leurs amis sont irrités par l'incessante curiosité de Scott, sa façon de les observer pour ensuite les utiliser comme matrices de ses personnages. Tant et si bien que Sara Murphy envoie une lettre à Scott pour lui dire leur malaise. On touche ici à l'un des traits fondamentaux de l'écrivain Fitzgerald, émotif, sensible, qui réagit dans l'instant et transporte sa vie dans ses histoires, toutes croquées sur le vif. C'est le champagne de la Côte qui brille dans les soirées de ses chapitres et ses nouvelles.

Alors il faut renouveler sans cesse les lieux, les scènes d'inspiration : villas, pique-niques sur la plage, dîners dans les jardins, tout ce qui peut concourir à la fête des esprits et des lettres. Le *Post* donne maintenant quatre mille dollars pour une histoire, confie Scott à Hemingway. Ainsi s'explique le nomadisme, on butine goulûment, on se promène. Il y a aussi la curiosité face à ces quartiers, ces ruines, ces atmosphères si différentes de l'Amérique. Voici Zelda qui descend le cours Mirabeau, à Aix-en-Provence, jupe plissée et chien en laisse, puis Scott et le chien devant la grande fontaine. Instants magiques, en ces années vingt : pas d'automobiles, pas de passants sur la photographie, ils semblent seuls, élégamment vêtus, tout au plaisir du vieil Aix, du soleil et de la découverte.

Décalage horaire, décalage tout court. La nuit du krach boursier, le jeudi 24 octobre 1929, ils sont à Saint-Raphaël, à l'hôtel Beau-Rivage, dans la chambre occupée précédemment par leur vieil ami très proche Ring Lardner, à qui Scott avait dédicacé *All the Sad Young Men* en 1926. Ils n'ont ni actions ni placements en bourse, et pour cause, pourtant les voilà tout de même pris d'une bouffée de mélancolie, comme si la débâcle de Wall Street et de la lointaine Amérique se jouait pour eux à petite échelle. Mais le temps de Long Island est déjà si loin et il ne faut plus s'y attarder, d'autant que chaque nouvelle, de manière invariante, continuera, jusqu'en 1932, à valoir quatre mille dollars. Ils déguerpissent, décident de visiter Arles où ils descendent au Jules César, ravis de dormir dans une chambre qui fut autrefois une chapelle. Ils se promènent dans les petites rues, un peu dans les pas de Van Gogh, font un tour le long du canal croupissant, près des ruines romaines :

> « Et puis, en progressant vers le nord, les cieux crépusculaires en se répandant dans la vallée des Cévennes repoussaient les montagnes, et une solitude effarante régnait sur les plateaux. Nous roulions sur des bogues de châtaignes sur la route et des fumées aromatiques s'élevaient des maisons de montagne. L'auberge n'avait pas belle allure, les planchers étaient couverts de sciure, mais on nous a servi le meilleur faisan que nous avons jamais mangé et les lits de plume étaient merveilleux[1]. »

Dans la belle Renault décapotable, ils remontent tranquillement l'Auvergne et les Cévennes, Vichy, son kiosque à musique en bois et l'hôtel du Parc, où il leur semble que tous les gens boivent du champagne. Une halte à Tours, à l'hôtel de l'Univers, trop bondé à leur

1. *Ibid.*, p. 149.

goût. Après dîner, ils sortent faire un tour, trouvent un café plein de joueurs d'échecs et de gens qui chantent en chœur. Voici Blois, avec des photographies de Scott devant la statue équestre et l'escalier du château, dans la cour parfaitement déserte.

Il est temps de regagner Paris. Ils descendent d'abord dans un hôtel bon marché rue du Bac, avec des palmiers en pot tout desséchés, puis louent un appartement au 10, rue Pergolèse, non loin de l'avenue de la Grande-Armée. À New York, toujours en proie aux conséquences du krach boursier, les commentaires et les analyses vont bon train, mais ils n'en ont cure et préfèrent retenir une table chez Prunier pour manger des huîtres en compagnie de vieux amis qui viennent d'arriver avec les dernières nouvelles, car ils ne se mêlent guère aux Parisiens, ignorant tout des bistrots populaires, des gargotes modestes. Le soir venu, Scott s'installe au bar du Ritz qu'il apprécie tout particulièrement pour sa clientèle américaine et noie sa timidité dans l'alcool pour lier conversation et tenir dans ce climat de légèreté pétillante. Il faut bien se consoler des insuccès, apaiser son sentiment d'insécurité, croire avec ces oiseaux de passage que Paris est une fête. Le gin devient la cause et le remède à son tourment et le plaisir de boire chez les Américains de Paris célèbre une revanche sur les interdits, l'ère de la Prohibition, laquelle, commencée en 1920, ne prendra fin que treize ans plus tard.

Chez son éditeur, Perkins attend le manuscrit promis. En vain. Car au même moment, Scott lit les nouveautés, et il y en a, dont Cocteau et Brecht, chez les Américains, *La Coupe d'or* de Steinbeck, Faulkner, avec *Le Bruit et la Fureur*, sans compter ses amis Hemingway et Dos Passos. Il les commente dans ses courriers, il s'émerveille pour de bon de la magie du style d'Hemingway. Pressent-il que *L'Adieu aux armes* va connaître un immense succès de librairie ? Il en conçoit de l'ombre et se sent éclipsé. Inquiet, il tâche d'en sourire en évoquant la jolie fable de la course du lièvre et de la tortue, Hem le lièvre, lui la tortue. Des observateurs proches préfèrent parler du taureau et du papillon. D'un côté la force, la guerre, l'arène, les effets appuyés, de l'autre la grâce, les ailes qui palpitent, une beauté diaphane. Mais ils s'écrivent avec affection, librement, décrivant leurs projets en toute probité si bien qu'Hemingway va jusqu'à confier qu'il veut imiter *Gatsby* en écrivant *Le soleil se lève aussi*. Pourtant, insidieusement, la compétition s'installe et une querelle périphérique va envenimer leur amitié. Scott arbitre un combat de boxe entre deux écrivains : le Canadien Morley Callaghan et l'Américain Ernest Hemingway et l'interlude de ces jeux de garçons finit dans la confusion. Le *New York Herald Tribune* annonce la victoire de Callaghan, alors qu'Hemingway considère que l'arbitre a mal chronométré un round, à son détriment, bien entendu.

Drôles de joutes et toujours ce désir que leurs faits et gestes de Paris soient rapportés en Amérique.

Il faut aussi compter avec Zelda qui se réfugie encore et toujours à corps perdu dans la danse. Elle suit désormais un cours le matin, et prend un cours particulier l'après-midi, tout en s'imposant un régime draconien pour conserver la fine silhouette d'une ballerine. Elle y met une sorte d'énergie du désespoir pour purger ses démons et s'astreint à sa discipline jusqu'à l'ascétisme, ce qui, pense-t-elle, lui permettra d'intégrer la troupe de Diaghilev et enfin de triompher. Scott n'y croit guère. Le soir, lorsqu'ils vont au restaurant, elle ne parle plus que de danse, il s'ennuie à patiemment l'écouter. Crises d'éthylisme, querelles, épuisement, la maisonnée va à vau-l'eau, la bonne gâte le chien Adage, néglige Scott et Scottie. C'est un hiver éprouvant et pour oublier les moments difficiles et trouver le repos, en février 1930, ils partent pour quelques jours en Algérie – un voyage proposé par la Compagnie transatlantique. Ils découvrent les mendiants calés contre les murs d'Alger auprès des grilles mauresques de l'hôtel Oasis, le panache des uniformes coloniaux, le regard des Berbères, tout ce mélange étrange et trouble. Odeur de l'ambre à Bou Saada, promenades à dos de chameau, carcasses de mouton suspendues aux étals des boucheries de Biskra, glycines dans le crépuscule violet d'El-Kantara, parfums de nougat, beauté des ors et des dunes. Rien n'y fait, ce bref voyage en Afrique du Nord, autre mirage, n'arrange rien. Scott lit, trouvant un immense talent à René Crevel plutôt qu'à Cocteau et Aragon. Au retour, Zelda reprend furieusement ses leçons, il lui arrive de quitter précipitamment les déjeuners entre amis pour sauter dans un taxi, où elle se change en toute hâte, obsédée par l'horaire du cours de danse. Et elle craque. Le 23 avril 1930, elle est admise à l'hôpital de La Malmaison où elle reste dix jours. Le rapport médical note une anxiété aiguë, un taux l'alcoolémie élevé et la présence de fortes bouffées d'angoisse, en particulier à la tombée du jour. Elle sort le 2 mai, malgré l'avis contraire du médecin qui met en garde contre un faisceau de risques, à commencer par l'épuisement dans le milieu de la danse professionnelle, puis la tentation du suicide, enfin de possibles réactions violentes. Mais Zelda s'empresse aussitôt de reprendre la danse. À bout de forces, elle veut pourtant assister aux réceptions du mariage d'une amie. À la fin du mois de mai, elle s'écroule, c'est la rechute.

À partir de ce printemps 1930, c'est l'envers du paradis pour les Fitzgerald : la folie guette et va s'installer pernicieusement. Pour l'heure, il faut à Zelda un repos total, l'isolement pour accompagner son traitement. C'est le départ vers la Suisse, un voyage douloureux. La Suisse, et puis une autre vie. Au-dehors, c'est le printemps, les fleurs sur les flancs de la montagne, le lac étincelant au soleil. Mais Zelda est entrée à la clinique Valmont, près de Montreux, où elle répète qu'elle veut revenir à Paris. Scott, dans une lettre, en partance pour Saint Paul, remercie Mollie, sa mère, de lui avoir envoyé un livre de Chesterton ; il parle brièvement de la dépression nerveuse de Zelda sans développer le sujet. Ces deux semaines de repos, assorties d'un traitement psychiatrique à entreprendre, scellent un constat plus sévère. Les médecins appellent à l'aide un psychothérapeute, Oscar Forel, qui pose le diagnostic d'une schizophrénie et la fait admettre le 3 juin 1930 à la clinique Les Rives de Prangins, près de Rolle, entre Genève et Lausanne. La pension s'élève à mille dollars par mois. Elle y restera près d'un an et demi, sur un diagnostic de psychopathie présentant de graves troubles émotionnels. Dans la période de juin à juillet, Zelda oscille entre lucidité et folie, tente de s'enfuir, parle d'alcool dans ses délires, raconte son passé, et se souvient qu'elle et Scott ont été l'un des couples les plus enviés d'Amérique autour de 1921, qu'ils étaient terriblement heureux et qu'ils jouaient la comédie devant leur brillant parterre d'expatriés et d'artistes. Pendant les vacances d'été, Scottie lui rend brièvement visite et du même coup fait avec son père, installé à Lausanne, un séjour à Vevey où ils sont très heureux l'un près de l'autre, si bien qu'il est entendu qu'ils iront tous deux ensemble faire du ski à Gstaad aux vacances de Noël.

De cette période, Scott Fitzgerald tire un triste bilan ; quelques années plus tard, dans une lettre à Zelda, il écrira :

« Rien n'avait changé – l'appartement lamentable, les domestiques qui puaient. Le ballet toujours présent, une nouvelle gâchée pour emmener les Troubetskoï dîner, un voyage en Afrique empoisonné. Tu devenais folle et appelais cela du génie. J'allais à ma ruine et appelais cela de tous les noms. Et je pense que quiconque était assez détaché pour nous voir par-delà nos éclatantes et fausses images de nous-mêmes pouvait deviner ton égoïsme presque mégalomane et mon fol abandon à la boisson. À la fin, rien n'avait vraiment d'importance[1]. »

Pour l'instant, l'annonce de la venue de Scott aux Rives de Prangins déclenche chez Zelda une forte crise d'eczéma qui se reproduit en septembre et va empoisonner le reste de sa vie sous des formes intermittentes et plus bénignes. Les médecins lui donnent une chance sur quatre de guérir, essaient des traitements classiques ou bien nouveaux, comme l'hypnose qui la soulage. Toutes ces situations seront les motifs et péripéties de *Tendre est la nuit* dont le personnage du médecin, le

1. Cité par Nancy Mitford, in *Zelda*, *op. cit.*, p. 248.

docteur Diver, figurera dans le titre initial, tant la vie et la fiction sont étroitement liées.

Dès lors, la tragédie s'empare de Fitzgerald. Accablé, il erre comme une âme en peine ; Genève, Lausanne, Montreux : l'atmosphère lui semble délétère ; il constate que la Suisse n'attire personne mais qu'avec ses sanatoriums et ses cliniques de luxe, elle héberge les malades venus de France et d'Italie, comme « exfiltrés » de leur pays. Au reste, les enfants Murphy, Booth, Patrick et Honoria, viennent également soigner un début de tuberculose dans les Alpes suisses, cette même année, comme si tout le pays était une vaste clinique pour riches. L'insouciance, Paris, la Riviera sont bien loin ; pour lui, la Suisse se définit comme le pays aseptisé où peu de choses commencent et où beaucoup finissent. Peu à peu des incidents lui reviennent à l'esprit. Zelda a jeté ses vêtements dans une baignoire et y a mis le feu durant leur séjour à Hollywood en 1927, et, deux ans plus tôt, Hemingway lui a dit un jour, en quittant leur appartement : « Mais, Scott, tu ne te rends pas compte qu'elle est folle ? » Une autre fois, dans la boutique d'un fleuriste, elle a affirmé que les lys lui parlaient. Pire encore, il sait bien qu'elle s'est mise à boire, en garçonne intrépide, pour, dit-elle, être en phase avec le chaos du monde.

La consolation dans cette sombre période arrive de Manhattan : vient d'être publiée une nouvelle, *The Bri-*

dal Party, dans le *Saturday Evening Post* du 9 août 1930. C'est l'histoire de Joséphine Perry, une adolescente en pleine déroute émotionnelle, et la première d'une série de cinq nouvelles dans le *Post,* tandis que Scott poursuit son errance en Suisse, d'hôtel en hôtel, tantôt à Genève, à Lausanne, à Vevey, et qu'il fait des navettes pour retrouver Scottie restée à Paris avec sa nurse, mademoiselle Delplangue, où elle va à l'école, inscrite au petit collège Dieterlin, près du parc Monceau. Scottie, à dix ans, parle parfaitement le français, lit comme toutes ses amies *La Semaine de Suzette*, et remporte le prix d'honneur de sa classe. Lors de ces visites, Scott fréquente avec elle les bonnes adresses, le Nain Bleu pour les poupées et les jeux, le Grand Vatel pour les dîners, l'Empire pour les spectacles, et il vient pour la distribution des prix, tout fier de sa belle petite fille, comme il le restera toute sa vie.

Après quoi, le soir, il sort au Casino de Paris pour l'affiche de Joséphine Baker qui, elle aussi, a deux amours, son pays et Paris ; il monte à Pigalle au Café du Ciel ou au Café de l'Enfer, tout un programme, au diapason des splendeurs et misères de sa vie. À l'occasion, il donne des nouvelles à sa mère, Mollie McQuillan, l'eczéma de Zelda qui lui est un enfer, le rétablissement qui ne s'amorce pas, et en profite pour rappeler ses propres positions : 1) Tous les grands ont dépensé leur argent sans compter, il déteste l'avarice ou même la parcimonie ; 2) Il n'oublie ni ne pardonne jamais une insulte ; 3) La critique ne vaut rien à ses yeux. En plus, il lui faut demander au médecin la permission d'envoyer des fleurs, des messages ou des lettres, alors qu'il est déjà interdit de visite. Pour tenter de redonner confiance à la malheureuse, il envoie à Perkins trois textes de Zelda, mais Scribner les refuse. Par contre, cinq courts textes de Zelda ont été acceptés par *College Humour* et publiés, l'un sous la signature « Zelda and F. Scott Fitzgerald », les autres sous « F. Scott and Zelda Fitzgerald ». Sur le conseil du médecin, Scott écrit aussi à son professeur de danse, madame Egarova, une longue lettre détaillée citant des noms de ballerines et de ballets, et incluant un questionnaire. Tout cela pour avoir une estimation exacte des possibilités de Zelda, en toute franchise, de manière à lui éviter une déception face à son idéal et à ses ambitions. Il dresse ainsi une liste de sept questions relatives à l'âge, la performance, la compétence. La réponse est honnête, voire technique : Zelda est manifestement trop âgée pour devenir étoile, car elle s'y est mise trop tard, elle ne peut espérer que des seconds rôles dans une grande compagnie comme le ballet Massine de New York.

Son père, auquel il est très attaché, meurt d'une crise cardiaque à Washington en janvier 1931 et Scott rentre seul à la maison sur le paquebot *New York* pour assister aux obsèques. Après l'enterrement au cimetière de

Rockville, les fleurs répandues sur la terre fraîchement retournée et les adieux, il rend visite aux Sayre à Montgomery pour leur donner des nouvelles de Zelda. Puis, de retour en Suisse, il écrit histoire sur histoire pour payer les frais de clinique. L'argent, encore l'argent. C'est le début d'un horrible engrenage, il s'isole à l'hôtel, ne boit plus, publie une nouvelle tous les quatre ou cinq jours, comme à la chaîne. Aux États-Unis paraît *Babylon revisited* (*Retour à Babylone*), dans le *Saturday Evening Post*, qui évoque avec regret un Paris plus intimiste. En Suisse, très isolé, Scott se distrait comme il peut : à l'automne précédent, il a eu une brève liaison avec Bijou O'Connor, la fille d'un diplomate anglais dont il tire un portrait détestable dans sa nouvelle *L'Enfant de l'hôtel.* Il observe ces personnels des ambassades qui dînent au restaurant et, parfois, se remet à faire des farces. Ainsi, un soir, à Genève, il lève délicatement les filets de sa truite bleue du lac, demande une enveloppe au serveur, y met la grande arête et fait porter le pli à la table voisine à l'intention d'un délégué américain à la conférence sur l'opium à qui, dit-il à sa commensale, il manque une colonne vertébrale. Potache toujours, à trente-cinq ans.

Du côté de la littérature, quelques belles rencontres, à commencer par Rebecca West, qui déjeune avec son fils dans un restaurant d'Armenonville lorsque Fitzgerald prend une table voisine, puis la rejoint quelques instants plus tard lorsqu'il la reconnaît. Ensuite Thomas Wolfe, dernière trouvaille de sa maison d'édition, Scribner, un grand gaillard du Sud que Scott trouve éminemment sympathique. Ils se voient en juin pour déjeuner au bar du Ritz, puis en Suisse en juillet et nouent une camaraderie détendue et durable.

Zelda va mieux, elle écrit souvent à Scott qu'elle appelle « mon très cher et mon précieux Monsieur », « mon dodo ». Si bien que les médecins lui accordent une grande sortie, deux semaines dans ce beau mois de juin, qu'ils passent à l'hôtel Beau Rivage d'Annecy, couvert de rosiers grimpants, face au lac, avec le plongeoir sous leur fenêtre : « Nous marchions la nuit en direction d'un café resplendissant sous ses lanternes japonaises, nos chaussures blanches luisant comme du radium dans l'obscurité humide. C'était comme au bon vieux temps quand nous pouvions croire aux hôtels de l'été et à la philosophie des chansons populaires. Un autre soir, nous avons dansé une valse viennoise et nous nous sommes laissé emporter[1]. » Ils ont conscience de vivre une parenthèse parfaite, hélas sans véritable lendemain. À la sortie suivante, ils partent avec Scottie rejoindre les Murphy dans le Tyrol et tous ensemble se promènent à Vienne.

Ces escapades sont le prélude à un prochain retour définitif aux États-Unis après sept années d'un séjour

1. *Un livre à soi, op. cit.*, p. 152.

presque continu en Europe : le 15 septembre 1931 est le jour tant attendu du départ de la clinique. Ils rentrent en voiture, dans leur Renault six-chevaux, les nerfs à vif, et font halte à Dijon. Retrouvant Paris pour la dernière fois, ils s'installent à l'hôtel Majestic dont ils aiment la splendeur défraîchie et choisissent pour point d'orgue une visite à l'événement spectaculaire le plus couru, qui va attirer trente millions de visiteurs : l'Exposition coloniale.

Retour en Amérique

Après une traversée sur le paquebot *Aquitania*, ils passent quelques jours à New York : c'est la surprise. Descendus à l'hôtel New Yorker parce qu'il n'est pas cher, ils s'émerveillent des lumières qui resplendissent dans le crépuscule bleuté mais constatent qu'il n'y a plus de convives aux bonnes tables, que la grande métropole semble sous cloche, comme si les années trente avaient perdu les bulles et les diamants des années vingt. Tout au contraire, Montgomery n'a pas changé, paisible et lente, rassurante en somme, car il leur semble que la Dépression y est ressentie moins durement que sur la côte Est. La presse salue leur retour, titrant, dès le mois d'août, qu'ils vont passer l'hiver à écrire des livres. Une jolie maison, au 819 Felder Avenue, une voiture à quatre cents dollars, le calme, voilà qui engage à la sérénité retrouvée et au travail d'écriture. Zelda est l'ombre d'elle-même. Scott espère et soutient sa renaissance.

À la fin du mois d'octobre 1931, Scott part pour cinq semaines à Hollywood où les studios Metro Goldwin Mayer l'engagent pour une adaptation d'un roman de Katherine Brush, qu'il ne peut s'empêcher de considérer comme une concurrente dans les rayons des librairies. Mais on lui propose mille deux cents dollars par semaine, et le trésorier du ménage ne peut y être insensible, d'autant qu'il avait déjà songé à plusieurs reprises à ce retour au cinéma lorsque les ventes de certains de ses livres l'avaient déçu. Mais ce sera pour rien, semble-t-il, car le travail n'aboutit pas dans la veine souhaitée. Le texte de Fitzgerald fait rire du personnage au lieu de le soutenir. Cependant, comme à son habitude, il va faire son miel de ses observations qu'il utilisera pour dresser le portrait de Monroe Stahr, son dernier nabab, en l'occurrence Irving Thalberg, producteur du film sur lequel il travaille, et avec lequel il regrette de n'avoir pas échangé les points de vue au préalable pour éviter le malentendu au moment de l'adaptation. Une réception chez Thalberg lui fournit tout de même dans l'immédiat le matériau d'une jolie nouvelle, *Crazy Sunday* (*Un dimanche de fous*), sur le thème de la faille entre l'idéalisme de l'artiste et la matérialité du monde. L'épouse de Thalberg, l'actrice Norma Shearer, qu'il admire beaucoup, lui envoie un télégramme pour lui faire compliment sur sa bonne compagnie à la soirée mais il est tout de même remercié la semaine suivante.

Pendant ce temps, Zelda s'inquiète, à Montgomery, à propos des jolies filles d'Hollywood – peut-être songe-t-elle à l'amourette passée avec Lois ? Elle s'impatiente parce que Scott ne lui renvoie pas les textes qu'elle lui a soumis pour correction. Scott a de plus en plus de difficultés à placer les siens ; qu'à cela ne tienne, Zelda écrit d'arrache-pied sept nouvelles et l'ébauche d'un roman. Puis elle reprend la danse, mais se dispute pendant une leçon sur l'interprétation d'une fugue de Bach si bien qu'elle arrête tout, dans un accès de rage. Son père meurt le 17 novembre, lui qui n'a jamais vraiment estimé Scott, qu'elle prévient par un télégramme laconique. La presse rend un long hommage au juge. Le temps de l'enterrement, Zelda retrouve la notoriété des Sayre et son Alabama, les rues endormies, les orgues de Barbarie qui jouent les airs de sa jeunesse. Une rechute la guette, l'asthme la prend, Scott l'emmène en Floride pour la soulager, mais elle replonge dans la folie après seulement quelques mois de répit où elle a peint, dessiné et même écrit, puisqu'elle a terminé un roman autobiographique bâti sur ce qu'elle voit comme les temps forts de sa vie : sa liaison amoureuse avec Josanne et sa vie rêvée de ballerine. Pour faire bonne mesure, elle l'a directement envoyé à Perkins, sans en parler à son romancier de mari, tant leur rivalité reste vivace. Si le livre à venir ne manque pas de talent, Scott, après lecture, est furieux et exige des révisions car il y voit une sorte de plagiat non seulement de son matériau mais aussi de sa manière d'écrire et, pire encore, une attaque personnelle à travers le personnage d'Amory Blaine. Il pressent aussi un danger pour leur réputation, il craint le ridicule et une sorte de ruine pour leur légende chèrement acquise. Qui plus est, Scott retrouve la trace de l'infidélité de son épouse, la preuve de la liaison, comme il l'écrit à l'un des médecins de Zelda : « Dès qu'elle sentait que je ne bougeais pas de la maison, elle me trahissait immédiatement. Elle l'a avoué. Vous n'avez qu'à lire son livre. Et j'étais en train de faire le meilleur travail de ma vie[1]. » Il fait, bien sûr, allusion à *Gatsby le Magnifique*, mais le souvenir du bel aviateur reste cuisant. Pire, les voilà cette fois encore en concurrence, car le roman de Zelda est accepté pour publication chez Scribner à l'automne.

1931 s'avère financièrement fructueuse : sur son carnet de comptes, que Fitzgerald tient toujours avec une grande minutie, s'affichent 37 599 dollars, soit la meilleure année. Année prospère, mais son roman reste dans les tiroirs.

1. Cité par Nancy Mitford, *Zelda*, *op. cit.*, p. 319.

La Paix

La campagne de Baltimore les accueille en avril. Zelda se remet doucement à la clinique psychiatrique Phipps de l'hôpital Johns Hopkins, et Scott décide de s'installer à proximité pour la faire reprendre pied dans la vie domestique. Une fois de plus, lui que la presse et nombre de ses amis voient comme un dandy, un muscadin noyé dans le champagne et les tenues de soirée, se révèle être un chef de famille, soucieux du bien-être des siens, mené par le bon sens. Généreux, altruiste, gestionnaire, Fitzgerald fait face, au détriment de sa carrière. Consolation fort bienvenue : il est toujours tenu en grande estime par les Américains qui comptent à Paris. Dans un courrier qu'il adresse à « Gertrude Stein, Shakespeare & Co. Librairie, Près de la [*sic*] théâtre de l'Odéon », il la remercie de ses amicales pensées et de son livre dédicacé, *How to Write,* tandis qu'il promet de lui rendre visite à son prochain passage à Paris, l'été suivant. À titre privé, il tente de consolider sa famille et, le 20 mai 1932, commence à emménager dans une maison sur la propriété de l'architecte Bernard Turnbull, une maison en bois, douce et fraîche dans la campagne du Maryland, très différente de l'imposante demeure patricienne d'Ellerslie. Scott a mûri, il sent bien qu'il est à un tournant de sa vie. Il a besoin de se fortifier, de retrouver un équilibre et de renouer avec le succès. Et la maison victorienne qu'il prend en location s'appelle La Paix, avec, au-dessus de la porte, une vieille plaque où se lit encore « *Pax Vobiscum* ». Cette maison assez sombre, rustique au milieu des vieux chênes, qui date de 1885, possède une âme et même un passé littéraire car *The New Eclectic*, célèbre magazine « of Foreign Literature, Science and Art » y est né ainsi que des romans historiques. On y trouvait des pelouses où les mots LA PAIX s'inscrivaient en géraniums, les arches du porche étaient ornés de paniers de bégonias suspendus lorsque la famille Turnbull l'habitait, avant que l'architecte ne décide d'en construire une autre, plus au goût du jour, sur le haut de sa colline. La bâtisse ancienne a de la patine, elle n'est pas très entretenue, les écureuils nichent dans les recoins, le parc a l'air abandonné, mais qu'importe, Fitzgerald décide de s'y poser.

Dans ce calme bucolique, au bord des écuries et de l'étang, les malles et bagages des Fitzgerald, Scott, Scottie et la gouvernante française, bientôt suivie d'une secrétaire, sont rejoints par Zelda qui quitte Phipps, l'aile psychiatrique de l'hôpital Johns Hopkins, le 26 juin. À trente-six ans, Scott ressemble toujours à un étudiant en vacances avec sa chemise rose ouverte et son pull noir à torsades. Il frappe par sa courtoisie, son léger sourire, son regard pâle et lointain. Très vite, il songe à aménager l'endroit : aux taupinières vont succéder un court de tennis en gazon et la pelouse est redessinée devant la maison avec une allée circulaire de desserte, mais il ne touche pas au petit étang où nagent les têtards. Zelda aime la véranda, il lui fait aussi aménager un atelier où elle a la permission des médecins de travailler deux heures par jour. Il installe son bureau sous les toits, à l'arrière de la maison, et pose sur le buffet un casque et une baïonnette rouillée, trophées de la guerre en Europe. Assez vite, il se lie avec l'architecte et son épouse qui aime la littérature. Mrs Turnbull va même avoir bientôt pour invité T.S. Eliot dont Scott lira quelques poèmes à haute voix, après le déjeuner, avec d'autant plus d'émotion qu'Eliot lui avait envoyé une lettre de félicitations à la sortie de *Gatsby*. Il se lie également aux enfants, dont le jeune Andrew, onze ans, et sa sœur Eleanor, qui deviennent les compagnons de jeu de Scottie jusque-là sans cesse transplantée d'Amérique en Europe, de Paris à la Riviera. Scott apprend la boxe à Andrew, les échecs à Scottie. Les enfants jouent et vont ensemble à l'école, ils viennent se pelotonner au creux des vieux fauteuils de rotin au fond du porche, sous le regard attendri de Scott qui fume tranquillement et prodigue ses conseils en matière de sport et de vocabulaire. On dîne les uns chez les autres, et Scott prête des livres à Mrs Turnbull – Thomas Wolfe, D.H. Lawrence, Proust, Rilke – dont, excellent lecteur à haute voix, il commence par faire résonner quelques passages. Toute cette atmosphère bon enfant se retrouve dans quatre ou cinq nouvelles, dont *Une famille dans la tourmente*, qui s'achève ainsi : « Il appela son serviteur noir pour qu'il mette le dîner sur la table. Puis il se roula une cigarette et sortit sous le porche de derrière.

Le temps avait changé. Le ciel maintenant était lourd et l'herbe frémissait nerveusement. Soudain des gouttes tombèrent, pressées, puis plus rien. Une minute plus tôt il faisait chaud, mais d'un seul coup la transpiration sur son front était devenue froide et il l'épongea avec son mouchoir. Il avait comme un bourdonnement dans les oreilles et il avala, puis secoua la tête. Un instant, il pensa qu'il devait être malade. Puis, brusquement, le bourdonnement se détacha de lui, grandit, enfla, plus fort, plus proche comme le grondement d'un train qui arrive. »

Du bourdonnement au grondement, toute la gamme des émotions est présente. Zelda erre dans le parc avec son chien Trouble, on nage dans l'étang. Scott fait front, veillant sur Scottie avec une tendre minutie, complice de tous les instants, des chaussons de danse aux mots du dictionnaire, du plongeoir au tennis. Ils ne se quittent guère, et Scott attend déjà beaucoup de sa fille toute blonde avec sa tête ronde.

Des regrets, il en a assurément. Regrets de l'âge du jazz, dont il a forgé l'expression, un âge où il y avait du souffle, du chic, un pétillement d'adolescence, un optimisme à tous crins. La Dépression est là, qui isole tout un chacun dans les soucis de la survie. Ce qui l'a si gaiement transporté et inspiré n'existe plus, la légèreté n'est plus de mise, l'esprit austère des puritains part à la reconquête de la société. La condamnation de la frivolité, du gaspillage des années vingt, et aussi de l'insouciance, du nomadisme à la mode trouve des voix pour le dire et des oreilles pour l'entendre chez les beaux esprits et les intellectuels. L'ami Bunny Wilson, qui compte parmi ses ancêtres de grands prédicateurs du temps des sorcières de Salem, dont Cotton Mather, propose des analyses draconiennes de la société et se met à condamner les écrivains qui s'expatrient. Certains sont tentés par le marxisme et, partant, par les ouvrages sérieux, les livres d'idées ; les critiques y consacrent leurs colonnes ; les éditeurs les publient. La crise amène à se pencher sur les mécanismes d'une société, *Le Capital* passe de mains en mains.

Or les théories politiques ont toujours suprêmement ennuyé Fitzgerald depuis l'université. Grand lecteur, y compris de Marx, comme tous les Princetoniens, il ne se pique pas d'être un penseur, mais plutôt un intuitif, un émotif qui aime les personnalités d'où qu'elles soient, voire un sentimental qui adore *Le Portrait de Dorian Gray* et ses belles craquelures. Il ne se pique pas non plus d'être un génie inspiré et brillant, mais bien plutôt un artisan des lettres qui fait toujours quelques fautes d'orthographe, mais peu lui chaut. Les idées générales sont à peine plus qu'un fond de scène dans sa fiction. L'individu est là, au premier plan, sous le projecteur, et il y a l'atmosphère, l'ombre d'une branche, le parfum du chèvrefeuille, le moiré d'une écharpe. Il y a cette magie de l'instant, un soupir, un regard. Il y a ses personnages qu'il met à nu, entourés d'un halo d'admiration, animés par leurs rêves. Fitzgerald a ce talent d'essence poétique, cette musique qui baigne les descriptions, musique lointaine d'un bal, bruits du vent et bribes de tango, une mélodie venue de Keats et Shelley. Tout à son métier, il consacre peu de temps à la pensée, même si comme tout un chacun il lit Marx. Dans l'article qu'il consacre à la publication des « Romans, nouvelles et récits » de Fitzgerald dans la « Bibliothèque de la Pléiade », Éric Neuhoff écrit avec justesse que « Fitzgerald fut le romantique absolu, misant le tout pour le tout sur la page. »

Les années trente, années de réflexion sur la crise financière, années de théories politiques qui vont nourrir les idéologies totalitaires, l'isolent chaque jour un peu plus. Charles Wales, son personnage de *Retour à Babylone* (1931), survivant isolé dans un Paris qu'il ne reconnaît plus, confie au barman du Ritz : « J'ai perdu tout ce que je voulais au moment du Grand Boum ». La neige de 1929 a tout englouti.

Deux villégiatures égaient l'année 1932, en partie parce qu'elles les ramènent vers le Sud. Biloxi d'abord, dans le Mississippi, où ils lisent la Genèse face à la mer du golfe du Mexique, puis la Floride, tant aimée de Tennessee Williams et d'Hemingway.

> « L'hôtel Don Cesare, à Pass-a-Grille, s'étendait paresseusement sur la végétation à l'abandon, sa forme même capitulant sous la lumière aveuglante du golfe. Des coquillages opalescents recueillaient le crépuscule sur la plage et les empreintes d'un chien errant sur le sable mouillé délimitaient le territoire de son libre accès à la mer. Nous marchions la nuit et discutions de la théorie pythagoricienne des nombres, et le jour nous pêchions[1]. »

Scott et Zelda aiment les mers chaudes et les plages dorées. Pas une allusion à la Riviera, ce temps est derrière eux et, la quarantaine venue, la nostalgie ne les taraude pas. Comme toujours, ce sont les projets qui les font vivre et Scott a en tête des piles de feuillets.

Au retour, c'est la campagne au quotidien, la fable du lièvre et de la tortue au plus fort de son angoisse. Une rencontre à New York entre Hemingway et Fitzgerald se passe mal. Ils ont toujours bu ensemble, mais Ernest tient mieux l'alcool, il a pris de l'assurance, il a du succès alors que Scott piétine dans l'écriture de son

1. *Un livre à soi*, *op. cit.*, p. 154.

roman et fait remarquer à Perkins qu'il est irrité par les reproches d'alcoolisme. Hemingway peut avoir la dent dure, il ira jusqu'à dire à propos de Scott que le gin lui dégoulinait des yeux, que sa pire humiliation serait de ne pas être reconnu par le chasseur du Ritz, alors que chacun sait bien, dit Scott, qu'il faut un état de sérieux et de sobriété pour écrire les histoires qui paraissent dans le *Post*. Avec *Le soleil se lève aussi* en 1926, et surtout avec *L'Adieu aux armes* en 1929, Hem est devenu un golden boy littéraire, l'égal de Scott. L'écrivain américain Jerome Charyn résume ainsi les parcours des deux compagnons de chez Scribner : « Le XXe siècle avait créé un nouveau héros américain, le romancier Francis Scott Fitzgerald, le chouchou du Jazz Age était aussi populaire qu'une star de cinéma. Lui et Zelda vivaient l'extrême d'un rêve d'adolescent où l'argent et la célébrité faisaient partie d'un magnifique monde féerique peuplé de répliques d'eux-mêmes. Ils voyaient le monde entier réfléchi dans leur miroir personnel, mais ce miroir devait se briser. Scott et Zelda tombèrent en désuétude à la fin du Jazz Age. Hem avait pris leur place comme prince des romanciers américains[1]. »

La maladie coûte cher, « une fortune », dira Scott, et il faut vendre du texte, encore et encore. Pour ce petit

1. Jerome Charyn, *Hemingway*, Gallimard, coll. « Découvertes », 1999, p. 64.

séjour, les Fitzgerald sont descendus à l'Algonquin, ils sortent au théâtre et vont dans les galeries où Scott s'émerveille et s'émeut des tableaux de Georgia O'Keefe avec ses formes dilatées.

Le *Saturday Evening Post* publie le 4 mars 1933 un texte très révélateur sur l'état d'esprit de Scott qui amorce une confession dès le titre « Cent faux départs ». D'une honnêteté désarmante, avouant le doute et les blessures, il revient sur le subtil mélange de l'intrigue et de l'émotion, l'incertitude du premier jet, et met en parallèle la trajectoire du champion de course et celle de l'écrivain, de petites foulées en accélérations, d'épreuves en efforts avant d'atteindre la ligne d'arrivée. C'est l'occasion d'imaginer Scott au plus près lorsqu'il ouvre son classeur relié en cuir pour y pêcher une note, une enveloppe, mille bouts de papier qui sont autant de bribes susceptibles d'être prolongées en histoires. Des intuitions, il en a des centaines, des bons mots sur l'instant, de ces petits accès de fièvre, des minuscules forages ratés. Tout est bon dans l'île aux trésors du carnet, du transfert du Grand Guignol de Paris à New York à la résurrection de l'équipe de football à Princeton, d'une variante des aventures de Stevenson à l'importation de la danse africaine. Bref, le plaisir de la pensée et la volupté de la mise en forme. Et tout cela devient des petites boulettes de papier de six, douze ou vingt pages, bref des faux départs qui ont pris des journées de travail, bien du temps pour rien et disparaissent comme fumée, sans compter les histoires de la vie des voisins, sitôt abandonnées par discrétion, les récits de régates, les histoires d'hôpital. Fitzgerald l'avoue : il rêve d'écrire une histoire de chien, tant il les aime, mais, cette fois encore, il lui semble qu'il a pris un faux départ, trop fantaisiste. Plus sérieusement, il constate que l'écrivain, comme tout un chacun, connaît deux ou trois grandes expériences émouvantes dans sa vie et qu'il les accommode et les répète, c'est pourquoi ses histoires ont un certain air de famille. On ne saurait mieux décrire une œuvre, qui germe à partir d'un élan, d'une émotion reconnaissable et familière, la sienne.

Étrange Zelda, qui a l'air perdue à La Paix, qui porte ses pointes et ses chaussons de danse en tournant la manivelle du gramophone avant de se mettre à virevolter. Mais elle recommence à nager, elle monte à cheval, elle peint à l'huile, fait des figurines en papier. Déçue par la réception de son roman *Save me the Waltz* (*Réservez-moi cette valse*), paru le 7 novembre 1932 chez Scribner, sur recommandation de Scott, elle flotte, très incertaine. L'ouvrage, d'abord tiré à trois mille exemplaires, se vendra seulement à mille quatre cents, malgré une presse favorable. La veille de Noël est marquée par la visite de Gertrude Stein qui revient aux États-Unis après trente ans d'absence ; comme elle entretient une correspondance avec Scott, elle passe avec plaisir prendre le thé.

Au cours de la visite, elle choisit deux peintures de Zelda pour les accrocher à Paris et dédicace pour Scottie un marron ramassé dans le parc pendant leur promenade. Lorsqu'elle va presque bien, Zelda peint de petites gouaches de leurs souvenirs de Paris, qu'elle évoque avec Scottie, les moineaux de la place Dauphine, le Luxembourg et Notre-Dame. Au printemps, elle commence une pièce de théâtre, une fantaisie à douze personnages, *Scandalabra*, avec un prologue et deux actes, dont le second se passe dans une villa de la Riviera, source inépuisable d'inspiration, semble-t-il, pour Zelda comme pour Scott. La farce se révélera un échec lorsque la troupe des Jeunes Vagabonds la donne les derniers jours de juin 1933. Pour la première, Zelda et Scott ont invité un train entier en provenance de New York, des agents littéraires, des amis personnels, dans l'éventualité d'une production à Broadway. Il fait très chaud, la pièce n'en finit plus, le rideau final ne se baisse qu'à une heure du matin. Nouvelle déception, les critiques vacillent jusqu'à leurs machines et qualifient la pièce de fantaisie ratée, de persiflage loupé.

Rien ne va, décidément. La semaine précédente, Zelda a voulu faire un feu de chiffons et de vêtements dans une vieille cheminée et a déclenché un grave incendie qui embrase deux étages, monte jusqu'au toit, emportant manuscrits et tableaux, ainsi que les livres de collection de Scott sur la Première Guerre, auxquels il tenait tant. On met Scottie en lieu sûr, les voisins sauvent meubles et vêtements, sortis dans le jardin, les pompiers de Towson ne se prononcent pas sur l'origine du sinistre et parlent à la presse d'un possible court-circuit. Les dégâts à la maison sont importants mais Scott ne veut pas interrompre son travail, gin à portée de la main, et préfère différer les travaux de réparation pour ne pas déranger l'achèvement de son roman. Zelda se compare alors à la salamandre qui traverse le feu sans aucune douleur, salamandre qui, dans le bestiaire du Moyen Âge, est une grande lézarde qui empoisonne de son venin tout ce qu'elle touche – l'eau des puits, les fruits des arbres, le lait des vaches et des brebis –, et se réfugie dans les flammes pour se réchauffer. En août, son frère Anthony se suicide en sautant par la fenêtre de sa chambre à l'hôpital de Mobile où il était au repos absolu pour dépression. Elle-même, émaciée, affligée de tics, continue de voir les médecins de Phipps, où le spécialiste de la schizophrénie, le docteur Meyer, entend traiter les deux conjoints, qu'il ne dissocie pas dans l'histoire de la maladie de Zelda. Scott doit renoncer à l'alcool, c'est aussi la position de la famille de Zelda.

Telle mise en cause ne va pas sans déplaire à Scott qui depuis le départ a montré une totale loyauté pour soutenir la guérison de Zelda. Elle lui manque, il lui écrit qu'elle doit guérir et revenir, qu'ils ont été heureux non pas une fois, comme dans les contes, mais des milliers de fois. Face aux médecins, il est plus mal à l'aise, se justifie dans ses lettres au docteur Meyer, faisant valoir qu'il n'a bu que le quart d'une bouteille de gin au cours des six derniers jours, simplement pour se remonter et se détendre. Il écrit à sa belle-mère que Zelda vit comme dans une serre, protégée par son argent, par son nom et son amour, qu'elle utilise cette serre pour faire éclore son talent, faire parler d'elle, le tout sans discipline et sans contrepartie, sans s'occuper de rien. La famille de Zelda a des antécédents de maladie mentale des deux côtés, et son frère s'est suicidé. Scott se souvient aussi des conclusions du psychiatre Bleuler, appelé en consultation à la clinique de Prangins, pour qui Scott ne pouvait en aucun cas prévenir la maladie de Zelda, mais tout au plus la retarder. En mai 1933, le docteur Rennie organise une confrontation. Sans surprise, Scott parle d'intégrité, du travail exigeant de l'écrivain pour capter le parfum du temps à venir en une phrase, en une ligne, des nuits sans sommeil pour traduire une vérité essentielle, de la conscience aiguë qu'il faut greffer sur le talent. Zelda parle, elle, du vide de sa vie.

Bientôt, enfin La Nuit

La colonie de vacances va offrir un répit bien nécessaire à Scottie au mois d'août, mais, pour autant, il n'y a pas de trêve dans les exigences de son père qui lui écrit sur papier à en-tête « La Paix, Rodger's Forge, Towson, Maryland » pour commenter et préciser des points. D'abord, il lui rappelle qu'il déteste qu'elle l'appelle « Pappy ». Scottie se déclare-t-elle heureuse ? Scott lui répond qu'il ne croit ni au bonheur ni au malheur, notions virtuelles, commodes au cinéma, au théâtre ou dans les livres, avant d'en venir à une sorte de badinage sur le nécessaire et le superflu. S'il faut cultiver comme vertus le courage, la propreté, l'efficacité, l'équitation, par contre, poupées, passé, futur, échec, sauf si c'est de sa faute, triomphe, mouches, moustiques, insectes, parents, garçons, déceptions et plaisirs méritent qu'on s'en soucie comme d'une guigne. Drôle d'inventaire qui lui permet en conclusion de hiérarchiser trois priorités : la vie scolaire, le contact en sympathie avec les autres, le corps comme instrument utile. Voilà la « chère Pie » bien prévenue, elle va avoir bientôt douze ans.

À l'automne, de la fin novembre au début décembre 1933, les Fitzgerald partent aux Bermudes où les bougainvillées ruissellent sur les troncs d'arbres, il pleut continuellement. Ce sont de petites vacances d'une semaine où ils font de la bicyclette, boivent du sherry sous les vérandas, s'émerveillent à la vue des enfants qui jouent avec les chats sur les balustrades. Dans une torpeur rêveuse, Scott songe que c'est peut-être leur dernier voyage, il souffre de pleurésie, et, sans être reposés, ils emménagent, au retour, à Baltimore. Il est gravement soucieux depuis l'été, et, par un document sous seing privé, contresigné par E. Jackson et Isabel Owens, respectivement cuisinier et secrétaire des Fitzgerald à La Paix, il a désigné son vieil ami John Peale Bishop comme exécuteur littéraire pour publier son roman en cas de malheur. Il y tient car il s'agit d'une version très personnelle de sa propre vie. Qu'on en juge plutôt : Dick, né en 1891, sera un homme à son image, c'est-à-dire de bonne éducation, très intelligent, bel athlète, avec un charme fou. Il a beaucoup lu, il a tous les talents. Comme Scott, il vient de la haute bourgeoisie déclassée. Mais cette médaille brillante a son revers : le démon de l'ascension sociale, la boisson, cette façon de s'accrocher désespérément à une femme, la névrose qui s'installe insidieusement. Bref, de l'aveu de Fitzgerald dans ses notes préliminaires, il lui manque la force tendue d'un Picasso, d'un Brancusi, d'un Léger. Dick, que l'on suit entre trente-quatre et trente-neuf ans, illustre la cassure d'une belle personnalité, le destin tragique d'un homme gâté qui devient le jouet de forces contradictoires, l'idéalisme fondamental et, en contrepoint, les compromis dus aux circonstances. Qui plus est, le premier titre envisagé, *The Drunkard's Holiday* (*Les Vacances d'un ivrogne*), heureusement non retenu, montre à quel point il est préoccupé par sa dissipation délétère.

C'est qu'en effet, de manière régulière depuis septembre 1933 et jusqu'à janvier 1937, il va en consultation à l'hôpital Johns Hopkins pour suivi d'alcoolisme et de fièvres liées à la tuberculose. Nouvelle adresse : 1307 Park Avenue, où Fitzgerald se préoccupe du lancement de son roman, avec des photographies modernes, récentes, pour le dossier de presse. Il rêve d'être le livre du mois, le lauréat de la Guilde littéraire. La trêve est de courte durée. Lors de sa troisième rechute, Zelda est admise à l'hôpital Sheppard et Enoch Pratt, à la lisière de la grande ville et de leur propriété de Towson, en janvier 1934. Deux mois plus tard, elle est transférée à la clinique Craig House, à Beacon, dans l'État de New York. Construit au bord de l'Hudson, à un peu plus de deux heures de la ville de New York, l'immense établissement se compose de petites maisons avec une infirmière particulière pour chaque malade. Pas de serrure ni de clé, des piscines et des courts de tennis, des tournois de bridge et de jacquet, un terrain de golf, l'endroit est enchanteur, à cent soixante-quinze dollars par semaine, hors piscine et blanchisserie. Zelda trouve sa chambre très agréable tout en déplorant à chaque fois bien tristement le départ de Scott. Les premières semaines, elle est apathique et lointaine, souvent désorientée, elle le supplie de l'aimer un peu malgré la maladie. Peu à peu, elle écoute de la musique tout en peignant, des roses pour Schubert et des violettes pour Strauss.

La parution en feuilleton de *Tendre est la nuit* se poursuit dans *Scribner's Magazine* et va durer jusqu'à la fin avril, alors même que le roman sort en volume le

12 avril. Une petite exposition, qui dure tout le mois d'avril dans le salon de l'hôtel Algonquin où ils sont descendus, marque le lancement du roman. Zelda bénéficie d'une courte permission et, pour rétablir une sorte d'équilibre de notoriété entre eux, une exposition d'œuvres de Zelda est montée. Ce sont treize tableaux et quinze dessins de *La Prêtresse de l'âge du jazz*, « la presque mythique », qui bénéficient d'un bel accrochage à la galerie de Cary Ross au 525 East 86e Rue, galerie dont la devise, en français, n'est rien moins que « Parfois la folie est sagesse ».

Le vernissage a lieu le 29 mars, Zelda est là, avec son infirmière personnelle, il y a un beau catalogue avec un portrait de Scott, le front ceint d'une couronne d'épines. Si chacun reconnaît qu'elle a du talent, les visiteurs sont surpris par les détails des portraits et des corps, les pieds enflés des danseuses, les énormes mains noires d'un cuisinier attrapant un poulet, les tensions, les bosses et les distorsions, les jambes rouges gonflées, entremêlées, qui laissent une impression de souffrance et de malaise. Il y a aussi un portrait de Fitzgerald, des cils comme de longues plumes folles, des yeux d'un bleu très froid, comme la mer d'Irlande. Quelques amis passent, les Murphy achètent *Les Acrobates*. Peu de presse, un parfum de notice nécrologique dans les commentaires brefs : à l'évidence, les tableaux n'intéressent guère alors qu'au contraire le roman va plaire, au point que dès la première semaine, il sera inscrit sur la liste des best-sellers où il restera deux mois. Pour Fitzgerald, qui ne le sait pas encore, l'enjeu est immense. Cela fait neuf ans qu'il travaille à ce projet. Il a voulu écrire un roman nouveau par la forme et la structure, il l'a peaufiné, il a imaginé divers plans, modifiés à diverses reprises. Après le vernissage, Scott reste seul à l'Algonquin car Zelda est rentrée à Beacon, et le soir du 11 avril, il va boire un verre chez Tony, dans la 52e Rue, un chapeau de biais enfoncé sur un œil et le col de son pardessus relevé. Par hasard, l'écrivain James Thurber va passer cette soirée de veillée d'armes avec lui, trouvant Scott plein d'esprit, tout à la fois romantique, triste, soucieux, pathétique, abattu et plein d'espoir. Thurber lui dit tout le bien qu'il pense de *Gatsby le Magnifique*, Fitzgerald ne veut rien entendre : seul compte *Tender is the Night*. Il avait vingt-neuf ans lorsqu'il l'a commencé, il en a maintenant trente-huit et il vit cette publication comme un défi à lui-même, un défi aux circonstances amères de sa vie personnelle.

Est-ce aussi un adieu à Zelda, son « cygne » qui n'est plus sur l'étang ? Plus largement, c'est une chronique du Jazz Age, celle d'une élite qui mène avec insouciance et brio une vie à l'image des grands aristocrates et des danseuses de revue. C'est aussi une confrontation de l'Amérique et de l'Europe, à la manière de Henry James dans *Les Ambassadeurs*. C'est enfin le regard fasciné d'une jeune actrice éblouie par le spectacle d'un couple prestigieux, tout de raffinement et de beauté. Le personnage brillant de Dick Diver plonge littéralement dans la dépossession de soi, dans les fissures de la société, comme si par ricochets successifs la névrose de Zelda, devenue celle de Nicole, révélait tous les symptômes de la fragilité nerveuse de l'Amérique. Citons encore Éric Neuhoff : « Fitzgerald brasse un buisson de destin, étale la pâte des existences avec un sens de la durée, une empathie qui sautent à la gorge[1]. »

S'y ajoute, en filigrane, l'alliance instable des valeurs opposées du Nord et du Sud, le Nord avec son énergie de conquête, de réussite rapide, le Sud à l'élégance subtile et quasi surannée. De surcroît, un hommage est rendu au cinéma au travers de Rosemary, l'ensorcelante ingénue proche des films de Griffith, que Fitzgerald admire tant, la jeune actrice, parente des personnages de Lilian Gish, de Mary Pickford, de Louise Brooks et de Shirley Temple qui ont enchanté les publics des commencements. Pour Fitzgerald, cette œuvre, qu'il a très justement dédiée à Sara Murphy, doit être un véritable feu d'artifice.

Plaisir de connivence, *Tendre est la nuit* se lit comme un récit romancé de la vie de Fitzgerald. Il y a beaucoup puisé : la Villa America de Gerald et Sara Murphy est devenue cette Villa Diana ; l'hôtel du Cap d'Antibes se

---

1. Éric Neuhoff, art. cit.

transforme en hôtel Gausse, du nom de l'écrivain qui fut son professeur de littérature à Princeton ; Paris se montre dans ses beaux atours, les quartiers de l'Étoile où Scott a pédalé en triporteur un soir d'ivresse, le Montparnasse des gens de lettres, le Ritz où il jouait le magnifique. Le roman dépayse et plonge dans le merveilleux dès la première page.

> « L'hôtel avait une plage dorée, étendue à ses pieds comme un tapis de prière. Dans la lumière du petit matin, l'image lointaine de Cannes, le rose et le crème des vieux remparts, les Alpes violettes barrant le seuil italien projetaient à travers le golfe leurs tremblants reflets qui vibraient au gré des ondes agitées par les plantes marines au fond de l'eau. Dès avant huit heures, un homme enveloppé d'un peignoir bleu descendit à la plage. Après maintes aspersions préliminaires, après beaucoup de petits grognements et halètements, il se jeta dans l'eau froide et s'y débattit une minute. Quand il fut reparti, plage et golfe retrouvèrent le calme pendant une heure. À l'horizon quelques cargos glissaient lentement vers l'ouest[1]. »

Une silhouette, une palette de couleurs, des reflets : la magie du lieu est restituée et son mystère, la passion, peut balbutier puis s'épanouir. Rosemary, la jeune voya-

1. *Tendre est la nuit*, le Livre de poche, p. 13-14.

geuse américaine de dix-huit ans, sera la fine observatrice de Dick et de Nicole, Dick le médecin sera aimé des deux femmes, chacune fragile et éblouissante à sa manière

Il ne fait aucun doute que le matériau du roman doit beaucoup aux emprunts à sa vie, comme toujours. Ainsi, l'ami Ring Lardner fournit-il le modèle d'Abe North, Tommy s'inspire d'Édouard Josanne, l'amant de l'aéronavale, Rosemary Hoyt rappelle Lois Moran, avec sa fraîcheur d'actrice débutante, et le héros lui ressemble, comme il le note dans les grilles de préparation. Enfin et surtout, l'histoire de Nicole Warren se modèle largement sur celle de Zelda. Un roman populaire vient de mettre à la mode la figure du médecin, Dick sera docteur psychiatre et la rencontre avec la malade aura lieu en Suisse où, pendant le séjour de Zelda à Prangins, Fitzgerald a lu les ouvrages de Jung et conversé à leur sujet à maintes reprises avec un disciple de Jung, le docteur Oscar Forel, en charge du cas de Zelda. Ces lectures l'amènent à camper les principaux personnages selon les catégories définies dans *Les Types psychologiques,* mais sans érudition clinique, car il veut se rapprocher non de la description d'une schizophrénie mais de l'évocation d'une Ophélie.

Fitzgerald a travaillé au long cours, avec le souci constant du succès, il a écrit trois versions successives, l'une de 1925 à 1930, une autre en 1929, la version définitive enfin de 1932 à 1934. De même, il y a trois personnages principaux, le triangle classique, avec trois points de vue. Là, le romancier joue en quelque sorte son va-tout, perfectionniste jusqu'au dernier moment lorsque le texte sort dans le magazine de Scribner comme un ballon d'essai pour amorcer la campagne de promotion et surtout tester les premières réactions du public, face à ce parcours des illusions perdues. Long Island, Hollywood, la Suisse, la Méditerranée, tous les souvenirs forts de Fitzgerald sont là, les compromis, les échecs, les désordres, ses espoirs les plus fous et aussi ses défaites. Violence, conquêtes, désir, rien n'y manque. La durée du roman – dix ans, de 1919 à 1929 – permet de développer aussi bien les thèmes de la richesse que celui du gaspillage financier, la tendresse des uns, la dureté des autres, les rôles sexuels des hommes et des femmes, les rêveries érotiques. Au romantisme confiant a succédé le désenchantement, et au rêve exalté le constat de l'amour impossible : Fitzgerald capture toute son époque. Comme son titre emprunté à une ode du poète anglais Keats, *Tender is the night* crée un univers où les images et les mots renvoient à la mélodie du rossignol. L'effet d'écume des chevelures à la lumière des chandeliers, les madones et autres images religieuses, le bestiaire, la pluie sur les scènes d'amour, l'abondance des couleurs avec leurs réseaux symboliques et leur beauté attestent à chaque page de la maîtrise de Fitzgerald, de sa volonté farouche de créer un monde par l'art d'un chef-d'œuvre.

Depuis 1920 et l'immense succès de *This Side of Paradise*, il n'a pas écrit de best-seller et l'on se souvient de sa déception face aux ventes de *Gatsby* qui n'ont pas dépassé vingt-cinq mille exemplaires. Certes, il est devenu une icône, mais à quel prix ? Il veut reprendre l'avantage sur Hemingway, du moins la parité, et c'est en grande partie pour revenir au tout premier plan qu'il y a consacré dix années de sa vie, des années marquées par les trois crises majeures que sont la maladie de Zelda, l'alcoolisme, les tensions familiales. Il publie son gros roman de quatre cent huit pages, accompagné des illustrations d'Edward Shenton, et il fonde de grands espoirs. Selon Scott, *Gatsby* était un livre d'hommes, celui-ci sera un livre de femmes. La critique de la presse est élogieuse, tous les journaux new-yorkais le recommandent comme une tragédie émouvante, un grand livre. La première année, en 1934-1935, avec trois tirages, treize mille exemplaires sont vendus, le roman est sur la liste des best-sellers, oscillant selon les semaines entre la sixième et la douzième place, la première revenant à *Good Bye Mr Chips*. Fitzgerald attend les réactions de ses pairs comme des verdicts. Les compliments des connaisseurs affluent : John Peale Bishop, Edmund Wilson, Christian Gauss, soit le groupe des Princetoniens ; les écrivains Henry McLeish, Henry Louis Mencken, Noel Coward envoient des lettres enthousiastes ; des inconnus s'émerveillent de sa finesse et de sa subtile connaissance des cœurs. John Dos Passos, l'ami de toujours, n'est pas non plus avare de compliments : « Voilà un sacré livre, dont l'ordonnance et la construction vous font une impression considérable, et qui se termine par un chapitre qu'on citera certainement à l'avenir dans tous les manuels de littérature. La conception même du livre est impressionnante. » John O'Hara, autre ami de Scott et autre grand pourvoyeur de nouvelles pour le *New Yorker*, à tel point qu'on le surnomme le « Balzac américain », porte lui aussi le livre aux nues : « *Tendre est la nuit* est en train de devenir mon livre favori – plus encore que *L'Envers du paradis*. Je lis peu de livres. Je préfère relire plusieurs fois les mêmes. Je suis actuellement incapable de me souvenir d'un seul livre auquel *Tendre est la nuit* puisse être comparé – et je ne crois pas avoir dit quelque chose d'aussi important à propos d'aucun autre. » Louis Bromfield, quant à lui prix Pulitzer en 1927 pour *Précoce Automne*, dans le style sobre qui est le sien, salue la parution de *Tendre est la nuit* et en souligne la qualité exceptionnelle : « Ce livre a quelque chose de superbe, et contient des pages inoubliables, ce qui constitue pour moi la preuve de sa permanence. »

La presse anglaise s'en mêle, cite Fitzgerald parmi les meilleurs écrivains américains du moment, le *Times Literary Supplement* lui consacre un article. Dans le même temps, son camarade, l'écrivain Thomas Wolfe, écrit à Scott : « Je pense encore ce que j'ai toujours pensé : *Tendre est la nuit* contient ce qu'il y a de meilleur dans votre œuvre[1]. » Il rend ainsi hommage à un roman construit, bien mené, attachant, tandis que Fitzgerald, lui, a rendu hommage à son passé, à l'innocence de sa jeunesse, à ces élans qui l'avaient poussé à venir découvrir l'Europe et à s'émerveiller des plongeons et des plages, des soirées et des rencontres. Il retrouve les clairs de lune du bord de mer, une élégance dans les jardins de citronniers, les villas parfumées, tout un enchantement digne des contes anciens. Sans véritable nostalgie, il redonne vie à ces instants magiques, à ces coups de folie qui avaient marqué sa vie en France, à ces baisers en clôture de leurs courses dans Paris : « Mais il n'y avait pas de temps à perdre à pleurer, et tous deux, en amoureux avides, ne voulurent rien gaspiller des précieuses minutes de leur solitude en taxi, tandis que le crépuscule crème et vert s'obscurcissait et que les enseignes lumineuses, rouge feu, vertes ou bleu cru, dardaient leurs illuminations par les vitres de la voiture, malgré le voile de la pluie persistante. Il était près de six heures, le mouvement des rues était intense, les bistrots étincelaient ; la place de la Concorde fut traversée dans sa majesté teintée de rose, et le taxi se dirigea vers le nord de Paris.

Ils se regardaient, se murmurant des noms qui sont des incantations. Leurs deux noms, incessamment répétés, semblaient s'attarder dans l'air, mourant plus

1. Cité par André Bay, préface de *Tendre est la nuit*, p. 7.

lentement que tous les autres mots, tous les autres noms, plus lentement qu'une musique intérieure[1]. »

Hemingway, dont l'opinion lui importe tant, comme référence ultime et comme rival, fait à chaud quelques réserves : trop de vie personnelle, trop de merveilles truquées, il faudrait plus d'authenticité, mais le talent de l'écrivain Fitzgerald crève les yeux. Hem écrit aussi à Perkins pour lui dire que c'est excellent. Par la suite, il revient posément sur les mérites de *Tender is the Night*, considérant que le roman se bonifie avec le temps et, naturellement, Scott en est très heureux. Qui plus est, d'aucuns prétendront que deux des grandes nouvelles d'Hemingway, *The Short and Happy Life of Francis Macomber* (*L'Heure triomphale de Francis Macomber*), ou la dévoration de l'homme sentimental et sensible par sa femme et *Les Neiges du Kilimandjaro* doivent beaucoup aux thèmes de *Tender is the Night*, ce roman d'un adulte inquiet qui a bel et bien quitté l'adolescence et la jeunesse dorée. Voici la réaction « à chaud » d'Ernest Hemingway, qui écrit le 28 mai 1934 à Scott qu'il assure de sa « sacrée affection ». Il est à Key West :

> Je l'ai aimé et je ne l'ai pas aimé [*Tendre est la nuit*]. Il commençait par cette merveilleuse description de Sara et de Gerald (bon Dieu, Dos l'a emporté et je

---

1. *Tendre est la nuit*, *op. cit.*, p. 132.

ne peux donc m'y référer. Alors si je commets des erreurs). Et puis tu t'es mis à faire joujou avec eux, les faisant venir de choses dont ils ne venaient pas, les changeant en d'autres gens et on ne peut pas faire ça, Scott. Si tu prends des gens réels et que tu écris sur eux, tu ne peux pas leur donner d'autres parents que les leurs (ils sont faits par leurs parents et par ce qui leur arrive), tu ne peux pas leur faire faire quelque chose qu'ils ne feraient pas. Tu peux prendre toi-même ou moi ou Zelda ou Pauline ou Hadley ou Sara ou Gerald mais tu dois les garder semblables à eux-mêmes. Tu ne peux pas faire de quelqu'un quelqu'un d'autre. L'invention est la plus belle des choses mais tu ne peux rien inventer qui ne puisse arriver vraiment.

C'est là ce que nous sommes censés faire quand nous sommes au mieux de notre forme – tout inventer – mais l'inventer si scrupuleusement que plus tard dans la suite ça arrivera comme ça.

Bon Dieu si tu prenais des libertés avec le passé et avec l'avenir des gens, le résultat ne serait pas des gens mais des dossiers cliniques splendidement truqués. Toi qui peux écrire mieux que n'importe qui, qui as un tel talent que tu devrais – et puis merde. Au nom du ciel Scott écris et écris véridiquement peu importe qui ou quoi cela blessera mais ne fais pas ces compromis absurdes. Tu pourras écrire un beau livre sur Gerald et Sara par exemple si tu en savais assez long sur eux et ils ne t'en voudraient pas, sauf brièvement, si ton livre était la vérité.

Il y avait de merveilleux passages et personne d'autre pas plus qu'aucun des copains ne peut écrire un livre qui soit d'une lecture à moitié aussi passionnante qu'un livre de toi, mais celui-ci, tu as trop triché. Et tu n'en as pas besoin. [...]

Il est bien meilleur que je le dis. Mais il n'est pas aussi bon que tu aurais pu faire. [...]

Bon Dieu écris et ne te soucie pas de ce que diront les copains ni de savoir si ça sera un chef-d'œuvre ou pas. [...]

Oublie ta stratégie personnelle. Nous sommes tous bousillés dès le début et toi en particulier il faut que tu sois blessé à mort avant que tu puisses écrire. Mais quand cette sacrée blessure t'aura atteint sers-t'en – et pas pour tricher. Sois-lui aussi fidèle qu'un savant – mais ne pense pas que quelque chose ait de la moindre importance parce que ça n'arrive qu'à toi ou à quelqu'un proche de toi[1].

Tender is the Night, ce roman sur la maladie et la tendresse, inspire Tennessee Williams qui en donne une variation dans la pièce *Clothes for a Summer Hotel* où, justement, Fitzgerald et Hemingway viennent rendre

1. Ernest Hemingway, *Lettres choisies*, Gallimard, 1986, p. 477-478.

visite à Zelda en clinique. Car Zelda est si proche de Rose Isabel, la sœur de Tennessee qui, elle aussi, va d'infirmières en institutions depuis une lobotomie pratiquée en 1937, alors qu'elle n'a pas encore trente ans. Rose, si proche du tendre Tennessee, Scott si proche, si amoureux de Zelda. De la maladie mentale, Scott sait tout : de La Malmaison à la Suisse, des premières alertes aux rives de Prangins, il en subit tous les contrecoups, a appris à vivre au rythme des crises et des vains espoirs. Après La Paix, Zelda n'a vécu que dans les hôpitaux : Phipps, Craig House, deux ans à l'hôpital Sheppard Pratt, neuf séjours à Johns Hopkins, quatre ans à Asheville. Scott est resté deux ans à Baltimore, rien que pour elle. À l'évidence, son salut passe par ses romans, il faut continuer à être écrivain, la seule façon de vivre, dans l'amour passionné de la littérature. Il songe à Keats et à Wordsworth, ces poètes romantiques anglais qui n'ont pas renoncé. Alors, il refuse sa propre immolation pour écrire jusqu'à son dernier souffle.

L'enchanteur désenchanté

L'argent se met à manquer, le *Post* paie moins bien les histoires de Fitzgerald, les goûts du public ont changé et le magazine tient à renouveler ses auteurs. Scott, écrasé par les frais d'hospitalisation de Zelda et de scolarité de Scottie, devient obsédé par le sommeil, ressasse ses déceptions – sportive à Princeton, guerrière à Montgomery –, comme si la splendeur avait bel et bien disparu de la terre. Travail et ennui, maladie et dettes, tel est son agenda. Une suspicion de rechute de tuberculose s'ajoute à l'insomnie, à laquelle, en décembre 1934, il consacre un texte, *Veiller ou dormir*, publié dans le magazine *Esquire*. Au cœur de cette débâcle morale et financière, il a l'impression de n'être plus que l'ombre de lui-même, sa timidité le reprend, il est gagné par le désenchantement, tout ce qu'il aurait pu être est perdu, disparu à jamais. Au cours d'une promenade, Zelda tente de se jeter sous un train qui passe en lisière de leur parc, il la retient de justesse, elle doit quitter la maison pour l'hôpital.

Après la sortie réussie de son recueil de nouvelles *Taps at Reveille* (*Un diamant gros comme le Ritz*), c'est mal en point et endetté que Scott part pour quelques semaines de répit en Caroline du Nord, en février 1935, pour rendre visite aux Flynn. Ils sont célèbres tous les deux et reçoivent nombre d'amis du milieu des arts. Lui, Lefty Flynn, athlète de renom à Yale, star de football, puis acteur à succès du cinéma muet, officier de l'aéronavale pendant la guerre, est un très bel homme qui s'est retiré dans sa propriété de Tryon avec son épouse Nora, une Virginienne en vue, adepte de la Christian Science, de la « Science chrétienne » ou « Science du Christ » qui applique, dans la guérison des malades et la résolution des aléas de la vie, les lois enseignées par Jésus de Nazareth... À certains égards, ils lui rappellent les Murphy, généreux et enjoués, ils reçoivent leurs amis avec entrain, forts de leur sens du spectacle et de la fête. La gaieté est leur maître mot, et Nora est bien décidée à sortir Scott de son chagrin, et surtout à le guider vers la tempérance durant ses fréquentes visites. Incertain, il songe toujours à un roman médiéval, autour d'un certain comte Philippe, peut-être pour la fin de l'année. Il fonde aussi quelques espoirs sur une adaptation de *Tender is the Night*, entreprise par un écrivain de Baltimore, Robert Spofford, sans savoir que l'affaire tournera court et, faute d'appétence, manque un rendez-vous organisé à New York par Maxwell Perkins avec le grand éditeur anglais Jonathan Cape.

En mai, Fitzgerald ferme la maison de Park Avenue à Baltimore, dernier foyer de la famille et confie à John Peale Bishop qu'il n'a rien bu de l'année – pas une goutte de vin ni de bière. Il s'en va se soigner et méditer à Asheville, morne petite bourgade à une trentaine de kilomètres des Flynn, un lieu perdu de bois et de collines où il ne connaît personne, commençant par engloutir tout l'argent qu'il a emporté dans une réserve de biscuits salés, de rillettes et de pommes. Il s'installe à l'auberge Grove Park Inn, bien décidé à prendre du repos, car il souffre d'une lésion pulmonaire, et aussi à travailler sans se mêler à la vie des clients fortunés descendus à l'auberge. Il songe même à un nom d'emprunt. Mais la presse locale se fait l'écho de sa présence dans le numéro du dimanche 21 juillet 1935 et c'est de bonne grâce qu'il indique ses écrivains du Sud préférés : Thomas Wolfe, l'enfant d'Asheville, William Faulkner du Mississippi et Erskine Caldwell de Géorgie, terminant l'entretien par le constat du désenchantement de la jeunesse. Scottie, qui a maintenant treize ans, lui manque terriblement ; elle suit les cours de la Calvert School, il lui conseille d'écrire une pièce en un acte pour se sortir de sa petite personne. De l'hôpital, Zelda lui écrit des lettres d'amour, lui souhaitant le bonheur, à commencer par une petite maison près d'un sycomore, l'œil sur les roses trémières et les rayons du soleil de l'après-midi sur la théière en argent. Lui se sent épuisé, la tuberculose lui donne de la fièvre, il se fait monter des bières, toujours généreux dans ses pourboires au chasseur.

À distance, le couple Ober, Ann et Harold, veille sur lui et plus particulièrement sur Scottie, proche géographiquement de New York, pour qui ils ressentent une vive affection, au point de suppléer à maintes reprises Scott et Zelda. Comme il déteste la solitude, il a pris une secrétaire fraîche émoulue de l'école de journalisme de Columbia, Laura Guthrie, qu'il appelle à toute heure et qu'il emmène au cinéma. Elle devient sa confidente, tient un journal intime où elle consigne leurs conversations. Elle lui pose des questions sur ses habitudes d'écriture, sur ses modèles, sur sa connaissance des femmes. Fitzgerald répond volontiers, dans le style de Flaubert et de son célèbre « Madame Bovary, c'est moi ». Il se réfère à Jung, il affirme sa part de féminité. Laura Guthrie note qu'il réécrit ses histoires trois ou quatre fois, remettant à chaque fois du papier frais dans sa machine à écrire et distinguant trois phases : l'inspiration, le premier jet, la mise en perspective. Lorsqu'il n'est pas satisfait, il souligne les bonnes phrases en rouge, les range dans un classeur et jette le reste dans la corbeille. Il insiste sur l'écoute des conversations, l'oreille pour réussir les dialogues car il veut donner à entendre et donner à voir, il évoque la discipline, la solitude nécessaires au travail de l'écrivain.

En confiance, il conte ses mauvais jours et sa façon de toujours remonter la pente, souligne sa fidélité à ceux qu'il a choisis, amis et serviteurs. Et surtout, il est intarissable sur Zelda. Pour lui, ils ont vécu l'amour du siècle, un amour rare. Il n'a qu'un seul grief à son encontre, elle savait qu'il écrivait bien voire très bien, mais elle n'a pas compris qu'il était un grand écrivain et elle ne l'a pas aidé.

L'épistolier fidèle

Il est bien vrai qu'il est présent par sa correspondance destinée à une petite poignée de proches, toujours les mêmes, avec qui il tient, en confiance, à partager soucis du quotidien, projets et pensées. Toujours avec ingénuité, comme à ses débuts, il écrit à l'agent, à l'éditeur, à ses « très chères ». De retour à Baltimore, installé à l'hôtel Stafford car il ne veut pas rouvrir la maison, il reprend contact avec le monde, écrit à Asheville à sa « Sweet Laura » pour lui dire son affection, sa gratitude et demander de ses nouvelles. Finalement, il se plaît à Baltimore, ville si pleine de souvenirs. Il y a là une statue de son grand-oncle, les promenades de ses ancêtres et, bien sûr, la tombe de Poe. La ville est si civilisée, si pleine de bonnes manières qu'il l'imagine comme dernière demeure, avec Zelda, sous une pierre dans un vieux cimetière. Sentimental, avec une douce nostalgie, mais il le sait : autres temps, autres danseurs.

Fitzgerald sort d'une liaison tumultueuse de six semaines avec une Béatrice qui a cru reconnaître son Dante, Beatrice Dance, une femme mariée, il cherche et trouve un appartement à louer pour s'apercevoir aussitôt qu'il a pour voisin un pianiste de l'autre côté de la mince cloison. Il s'en va. En novembre, on le retrouve à Hendersonville, en Caroline du Nord, à l'hôtel Skylands, à 2 dollars par jour, bien content d'être tout seul. Un soir, il crache du sang, le docteur vient, on l'hospitalise pour cinq jours durant lesquels il termine une nouvelle. Toujours à la tâche, où qu'il soit, à l'affût de nouveautés, de cadres inédits, d'émotions. À ce propos, les secours venus pour maîtriser l'incendie à La Paix n'avaient pas manqué d'être frappés par le fait que Fitzgerald, les premiers moments passés, s'était isolé dans son bureau parce qu'il avait un texte à terminer. De même ici, il surprend le personnel de l'hôpital car il travaille dans sa chambre. Il a toujours une nouvelle en chantier, c'est sa raison de vivre, son exaltation, mais il s'inquiète en même temps sur tous les fronts : Zelda, Scottie, l'écriture.

Ses histoires ? Sa réputation a pâli auprès des éditeurs de magazines, mais tant qu'il est sous le label du *Saturday Evening Post*, sa cote se maintient. Son agent, Harold Ober, au 40 East de la 49e Rue à Manhattan, qui le soutient depuis 1929, a d'abord vendu à bon prix les histoires refusées par le *Post* à ses concurrents, *McCall's*, *Collier's* et *Liberty*, mais, dès l'instant où le secret a été éventé, les prix baissent. La mécanique qui pendant des années lui apportait en moyenne trois mille dollars toutes les six semaines ne fonctionne plus et il songe à des biographies, à commencer par celle d'une infirmière qui l'a soigné ou encore à celle de son amie Nora Flynn. Mais ce n'est pas sa veine. Ober, qui est devenu ami de la famille et veille sur Scottie, chemin faisant, s'enhardit à faire des suggestions ; en décembre 1935, il préconise qu'une part des trois mille dollars du *Saturday Evening Post* pour la nouvelle *Too cute for words* soit directement affectée au remboursement des dettes. Depuis le début, au moment où il s'établissait à son propre compte, son auteur Scott Fitzgerald lui a fait totalement confiance mais Ober a des difficultés avec les retards, les demandes d'avance de trésorerie, les ultimes corrections manuscrites devenues récemment illisibles. Finalement, il s'interroge : Fitzgerald sait-il encore parler d'amour aux lecteurs du milieu des années trente ? De plus, le cinéma parlant a modifié les attentes du public : l'émotion devient immédiatement évidente, la nuance de pensée s'efface, le temps s'amenuise, tout est plus marqué, plus scintillant, rien qui vaille pour la manière de Fitzgerald.

Fin septembre 1935, Scott vient vivre avec Scottie à Cambridge Arms, au croisement de la rue Charles et de la 34e, près du campus de l'université Johns Hopkins, à

Baltimore, et coule des jours heureux dans l'appartement loué au septième étage qui a vue sur les arbres et le terrain de football. Tout l'inspire : il regarde le jardinier qui roule le gazon et naissent aussitôt deux histoires, l'une bucolique et romanesque, l'autre plus grave avec un fossoyeur et une tombe fraîche, celle de son fils, deux histoires trop simples à son goût et qu'il n'écrira pas. L'espace est restreint pour une étudiante et son père, d'autant qu'il n'est pas en grande forme, il tâche de s'habituer à la pauvreté et même à la banqueroute. Et comme il faut fournir du texte pour rembourser ses dettes, Scott commence alors une série inspirée par Scottie, sous le titre de *Gwen* – quatre histoires dont deux seront publiées. À New York, trois œuvres majeures voient le jour, *Les Temps modernes* de Chaplin, *Porgy and Bess* de Gershwin et *Meurtre dans la cathédrale* de T.S. Eliot, œuvres fortes qui, d'une certaine manière, démodent le style intimiste de Fitzgerald.

Un soir de novembre, il fait ses valises en laissant des instructions précises à sa secrétaire, Mrs Allein Owens, qui chaperonnera Scottie, scolarisée à la Bryn Mawr School, en son absence. Pas plus d'une demi-heure de radio ou de phonographe par jour, pas de longues conversations au téléphone, pas de longues mises en plis avec des papillotes à friser les cheveux la veille des jours d'école. Pas de rouge à lèvres. Pas de rendez-vous à l'extérieur avec des garçons. Si possible trouver une partenaire française pour faire conversation et raviver son français qui se rouille. En clair, Scott trouve Scottie, qui a seize ans, en avance sur son âge et entend bien, comme il le faisait naguère pour sa sœur Annabel adolescente, veiller au grain.

Fitzgerald, par une nuit tourmentée, s'en va méditer à mille kilomètres, à Hendersonville, entre Asheville et Tryon. Là il mange sur le pouce, achète des sucreries et des sodas, car il ne prend plus d'alcool, il fait sa lessive dans sa chambre de l'hôtel Skyland, écrit un essai, *The Crack up* (*L'Effondrement*), où il se met à nu et se compare à « un archet aux crins cassés sur un violon vibrant[1] ». Cioran trouve le texte magnifique et le traduit dans ses *Exercices d'admiration*, considérant qu'à l'intérêt littéraire pour l'œuvre, notamment pour *The Great Gatsby*, *Tender is the Night*, *The Last Tycoon*, s'ajoutent la pâte humaine, l'émotion personnelle : « De toute évidence, vivre c'est s'effondrer progressivement. Les coups qui vous démolissent le plus spectaculairement, les grands coups soudains qui viennent – ou semblent venir – de l'extérieur, ceux dont on se souvient, ceux qu'on rend responsables de tout et dont on parle à ses amis dans les moments de faiblesse, ceux-là tout d'abord ne laissent pas de trace. Mais il existe un autre genre de coup, celui-ci venu de l'intérieur et dont on s'aperçoit trop tard pour y remédier. Irrévocablement s'empare alors de vous la

1. *L'Effondrement*, p. 29.

révélation que jamais plus vous ne serez celui que vous avez été[1]. »

Ce « jamais plus » de l'ouverture donne la tonalité mélancolique du témoignage empreint d'une simplicité, d'une beauté universelle qui sera reconnue – entre autres – par Gilles Deleuze. Telle confession, très sombre, rappelle des auteurs comme Kierkegaard, Dostoïevski ou Strindberg. À cet instant, Fitzgerald vit un désespoir profond et, bien conscient qu'une brume dangereuse l'entoure, il rentre à l'appartement de Cambridge Arms pour ce Noël 1935. D'emblée, c'est la joie de retrouver Scottie. L'essai paraît dans *Esquire* en février 1936 et sera suivi, à la demande de la revue, de deux autres textes moins connus, dans la même veine, *Recoller les morceaux,* en mars 1936, et *Manipuler avec précaution* en avril, dont les titres mêmes avouent sincèrement son état de fragilité. Pourtant on le sollicite encore ; ainsi, le directeur de la ballerine Olga Spessivtzewa, L.G. Braun, rencontré naguère au cours du voyage en Afrique du Nord, lui commande un film pour la danseuse, et Fitzgerald imagine une œuvre intitulée *Les Chaussons de danse*, à la fois confiant dans son approche authentique de la danse, grâce à Zelda, et inquiet des manœuvres expéditives d'Hollywood. Bien en avance sur les petits chaussons de satin blanc de

1. Cioran, *Exercices d'admiration*, Gallimard, coll. « Quarto », 1995, p. 1612. Il traduit le titre *The Crack up* par *L'Effondrement.*

Charlie Chaplin dans *Limelight* en 1952, il y tient pour prouver qu'il est toujours là, qu'il est sobre et sérieux, d'autant qu'une idée sur la danse et les idylles des studios d'Hollywood lui trotte dans la tête depuis 1920, année où il s'en était ouvert à Griffith qui n'avait pas donné suite, de crainte de déplaire à William Randolph Hearst qui a pour maîtresse l'actrice Marion Davies.

L'éducation de sa fille, qu'il souhaite rigoureuse, le préoccupe depuis toujours ; il veut des écoles réputées excellentes, et cela d'autant qu'il estime que Zelda a été extrêmement mal élevée, en particulier par sa mère. Pour la rentrée suivante, Fitzgerald obtient une dispense des frais de scolarité très lourds au collège de filles Ethel Walker, sur la côte Est, un excellent établissement fondé en 1911, si bien que, de son propre aveu, c'est la seule bonne nouvelle de la période car il a trois sous en poche et des milliers de dollars de dettes. Pas de répit, pas d'embellie en vue, il admet qu'il se ruine en confiant et sa femme et sa fille à des établissements privés, car il veut le meilleur et ne peut se résoudre à les mettre dans des structures publiques moins onéreuses. D'autant qu'une lettre de Scott à Sara et Gerald Murphy, datée de mars 1936, donne de bien tristes échos de l'état de Zelda, qui prétend être en contact avec le Christ, Guillaume le Conquérant, Marie Stuart et Apollon, s'agenouillant à tout moment, au plus fort d'une crise mystique. Le mieux tant espéré paraît désormais hors d'atteinte et Scott redit à ses amis combien il veille tendrement sur elles deux, combien il a protégé Scottie et comme il a été son seul agent de liaison avec le monde extérieur pour tenter de le lui rendre tangible.

1936 : l'isolement, le désarroi de la perte s'accentuent en quelques mois où il devient dépressif car il craint par-dessus tout le tarissement de son inspiration dans cet univers triste et qui ne cesse de se rétrécir. Fitzgerald a toujours exploité les péripéties de sa vie dans ses nouvelles, utilisé son propre matériau, contrairement à d'autres nouvellistes plus vagabonds – on songe, par exemple, à Truman Capote, un peu plus tard, qui dresse les silhouettes de Colette, de Gide, d'Armstrong ou de Mae West, qui convoque les livres de référence, bref tout un arrière-plan, de La Nouvelle-Orléans à la Sicile et l'Italie, comme un feu follet virtuose en atmosphères. Scott, au contraire, est resté centré sur lui-même, ignorant les musées et les bibliothèques, restreignant ses voyages, si bien que la source s'épuise et lui-même s'étiole. Mauvais signe, il cesse peu à peu de tenir son carnet secret, son journal de bord annuel : un appauvrissement émotionnel, une tristesse profonde minent sa vie, le sentiment religieux de ses années d'enfance demeure enfoui très loin en filigrane, même si Nicole Diver, dans *Tendre est la nuit* se signe avec du Chanel n° 5. Quant à faire ses tours de passe-passe, ses bons offices, il n'y croit plus vraiment, bien que sa faconde, son humour dur ne l'aient pas abandonné. Ne suggère-t-il pas que, pour cacher sa misère, il faudrait qu'il se façonne un sourire : « Il s'agissait de réunir toutes les qualités d'un gérant d'hôtel, de la vieille femme experte en relations sociales, d'un directeur d'école le jour des visites, d'un liftier de couleur, d'une tapette faisant une mine, d'un producteur achetant la marchandise à moitié prix, d'une infirmière diplômée prenant un nouveau poste, d'une prostituée sur sa première rotogravure, d'un figurant plein d'espoir passant près de la caméra, d'un danseur classique ayant un orteil infecté, sans oublier bien entendu le sourire épanoui de bonté commun à tous ceux qui, de Washington à Beverly Hills, n'existent que grâce à cette mine de clown difforme[1]. »

Un clown triste, Fitzgerald ? Un ange difforme, par mimétisme avec les créatures des toiles de Zelda ? Il renonce à la coûteuse clinique de la côte Est et fait admettre Zelda à l'hôpital Highland, à Asheville, le 7 avril. De surcroît, il doit aussi faire entrer sa mère à l'hôpital de Saint Paul car elle est très affaiblie. Quant à sa pétillante Scottie, elle s'en va à Simsbury, dans le Connecticut, poursuivre ses études.

Commence alors une correspondance intense, fréquente, intime entre le père et la fille qui s'aiment

1. *L'Effondrement*, *op. cit.*, p. 83

tendrement. Toutes les lettres, de 1936 à 1940, méritent une lecture attentive car on y découvre un père aimant, attendri, disert, préoccupé du moindre détail. Un père gai qui signe « Ton tout simplement parfait Papa », « Ton dévoué Papa » pour clore une longue liste de commentaires, de remarques, de conseils à sa « Scottina », sa « Scottie chérie », sa « chère Scottie », sa « Pie chérie ». Des lettres tendres où il fait passer affections et baisers. Elle devient sa confidente ; il aborde tout, l'argent, les droits d'auteur, son travail. Ces missives enjouées, sincères, sans apprêt, font, à juste raison, l'objet d'un livre. En voici une, datée du 16 juillet 1936, alors que Scott réside à Grove Park Inn et que Scottie est en colonie de vacances :

« Pie chérie,

Juste pour te dire que je suis ici (cela fait six jours et je me sens déjà requinqué). Bien que je travaille dur, j'ai trouvé le temps de voir Maman deux fois : une fois pour l'emmener à Hendersonville voir Mme Sayre, une autre fois pour visiter les Flynn et leur nouvelle maison qui est tout à fait grandiose.

J'ai fait de la natation et suis bronzé au point que tu ne me reconnaîtrais pas : deux fois à Oregon et deux fois ici dans des piscines différentes remplies de jeunes filles et de jeunes hommes des plus séduisants. C'était ma deuxième baignade en deux ans et la première de ta mère en un an et demi. Je pense que tu te serais plu ici…

…Ta mère paraît rajeunie de cinq ans, elle est plus jolie et a cessé ses stupides prières en public et tout le reste. Peut-être reviendra-t-elle malgré tout à son état d'avant.

Les choses ont l'air moins noires qu'elles ne l'étaient l'hiver et le printemps derniers.

Je t'aime.

Papa

P.S. Dis à tes camarades de tente qu'il te faut être fouettée avec des serpents une fois par semaine, mais rien de plus[1]. »

En juillet 1936, il fait aussi part à Scottie de son embarras pour fixer le montant des droits du parlant de *L'Envers du paradis*, rappelant au passage que la Paramount possède déjà ceux du muet, qui n'ont jamais été exploités, et que *Gatsby* lui a valu sept mille cinq cents dollars pour le film parlant. Il en demandera cinq mille et s'excuse auprès de sa fille de l'importuner avec tous ces soucis et tous ces chiffres. Faute d'argent, Scott renonce à aller la voir pour l'anniversaire de ses quinze ans, le 26 octobre, mais projette de la retrouver pour

1. *Fitzgerald père et fille, correspondance,* Bernard Pascuito Éditeur, 2008.

Thanksgiving. Mieux encore, il lui annonce que pour Noël il donnera une réception, un petit bal pour elle, à l'hôtel Belvedere de Baltimore. Scottie se plaint-elle du travail et de la discipline à Ethel Walker ? Son père lui répond : « C'est dur, certes. Mais rien n'a de valeur qui ne soit pénible et, tu le sais, nous ne t'avons jamais élevée dans du coton ; à moins que, tout d'un coup, tu ne veuilles me décevoir. Ma chérie, tu sais combien je t'aime. J'entends qu'en toute chose tu te montres digne de ce que, depuis toujours, j'ai rêvé pour toi[1]. »

Et Scott rêve beaucoup pour Scottie, une fille de pauvres dans une école de riches – toujours la même histoire qui se répète –, la conseillant sur ses sorties, ses tenues, ses lectures. En retour, elle fait du battage à l'école pour le recueil des huit nouvelles de son père, publié en 1935, et l'assure que « Joséphine », avec son héroïne de seize ans, belle et inconstante, fait un tabac auprès de ses condisciples.

De Key West, Hemingway lui écrit pour l'inviter à le rejoindre ; sur son bateau, ils iront à Cuba, d'où ils reviendront avec de bonnes histoires à écrire, et d'ajouter : « Si tu es déprimé, occupe-toi de prendre une grosse assurance vie, je me charge du reste, j'écris une belle notice nécrologique, on donnera ton foie au musée de Princeton, ton cœur à l'hôtel Plaza, un poumon à

1. *Lots of Love*, p. 51-52.

Max Perkins[1]... » Fitzgerald n'y donne pas suite car, de toute manière, l'été est gâché par une fracture à l'épaule, un accident survenu alors qu'il effectuait un saut de l'ange du haut du plongeoir. Le jeune interne qui l'examine se trompe dans le diagnostic. Endormi au masque – c'est la méthode utilisée à l'époque –, il se réveille avec un plâtre qui part du nombril, bifurque et lui prend tout le bras : il se sent comme un chevalier emprisonné dans son armure ! Certes il se remet, lentement, mais surtout, toute cette affaire lui coûte cher financièrement et le gêne considérablement pour écrire car il doit se tenir à bout de bras sur une planche inclinée. Un peu plus tard, alors qu'il s'est tant bien que mal adapté à ce handicap, il glisse sur le carrelage de la salle de bain, et ne parvient à se relever qu'avec l'aide d'un acolyte. Pour faire bonne mesure, un début d'arthrite le fait souffrir. Lorsque la mère de Scott, Mollie McQuillan-Fitzgerald, meurt en septembre 1936, après un malaise et une chute à l'entrée d'un magasin, comme il est trop mal en point pour assister à l'enterrement et pour lui rendre hommage, il écrit un texte à sa mémoire, *La Mère d'un auteur*, qui paraît tout aussitôt dans *Esquire* :

> « C'était une vieille dame hésitante, vêtue d'une robe de soie noire et coiffée d'un chapeau à larges bords assez ridicule qu'une modiste avait penché sur

1. Hemingway, cité par Turnbull, *Scott Fitzgerald*, p. 281.

sa vue déclinante. Elle était venue dans le centre dans un but bien précis ; elle ne faisait plus ses courses qu'une fois par semaine désormais et essayait toujours de faire le plus de choses possible au cours de la matinée. Le docteur lui avait dit qu'elle pouvait faire opérer ses yeux de la cataracte, mais elle avait quatre-vingts ans passés et l'idée d'une opération la terrifiait[1]. »

Tout son passé à Saint Paul disparaît avec la mort de la vieille dame, ses attaches sont rompues. L'héritage qu'il partage avec sa sœur Annabel ne lui donne que dix-sept mille dollars sur une part de quarante-deux mille, car il devait de l'argent à Mollie. Leurs relations ont toujours été difficiles ; il n'empêche, il est très ému lorsqu'il retrouve ses pantoufles, ses mouchoirs, toute une vie intime de cette « vieille dame hésitante » que fut sa mère.

La loyauté, le courage ne l'abandonnent pas : de juillet à décembre Scott fait six séjours à Asheville, non loin de l'institution où est soignée Zelda. Quand son épaule est remise, il achète une vieille Packard et roule lentement sur les petites routes de montagne en veste de sport râpée à carreaux et chaussures à semelles de caoutchouc. Chez lui, il porte une vieille robe de chambre de flanelle

1. *Un livre à soi*, *op. cit.*, p. 287.

grise. Tout comme Stendhal aimait à lire le code civil, Fitzgerald dit plaisamment qu'il peut tout écrire à partir de la lecture du code pénal : tout est prétexte à histoires. *Esquire* achète ses dernières nouvelles deux cent cinquante dollars l'unité. L'éditeur Scribner propose de publier *Paradise*, *Gatsby* et *Tender* en un seul gros volume, Fitzgerald s'en réjouit et réfléchit à quelques modifications. Le métier peut-il encore le sauver, lui donner foi en l'avenir ?

Au bal costumé du nouvel an 1937, Zelda a dansé un fragment de ballet ; elle semble aller mieux malgré sa schizophrénie profonde, mais les dépenses sont énormes et Scott est endetté et malade. En janvier, il revient à l'hôtel à Tryon, écrit à Max Perkins qu'il a un projet de roman mais ni le temps, ni l'argent, ni l'énergie pour l'écrire. Il réalise aussi que ses confessions sur l'alcoolisme, sur la fêlure, écrites pour *Esquire*, lui font un tort immense. Hemingway, qui a la dent méchante et qui a détesté le ton de *The Crack-up*, prétend que Scott a sauté directement de la jeunesse à la sénilité. Il veut le secouer et, dans *Les Neiges du Kilimandjaro*, se moque de lui et de sa naïveté envers les riches. Résignation, jalousie de Fitzgerald, Hemingway a gagné la course du lièvre et de la tortue. Très blessé, Scott lui demande instamment de pas citer son nom dans le texte, si bien que dans les éditions suivantes, le personnage devient simplement Julian. Mais la suite n'arrange rien, au contraire, car, malgré une fièvre et des douleurs, Scott accepte naïvement de donner un entretien au journaliste Michel Mok qui vient tout spécialement pour le *New York Post* à la veille de son anniversaire, à l'auberge Grove Park Inn. Résultat : Mok va brosser un portait lamentable sous le titre assassin, « L'envers du paradis, Scott Fitzgerald, quarante ans, dans le gouffre du désespoir ». L'article paraît le vendredi 25 septembre 1936 et donne des détails cruels – les mains qui tremblent, l'agitation, le visage qui tressaute, l'expression d'enfant battu, le verre qu'il vide – sur le poète prophète des névrosés d'après-guerre, insistant sur la gloire du passé et l'impasse du présent. À la lecture du journal, Fitzgerald fait une tentative de suicide à la morphine – quatre comprimés –, de quoi tuer un cheval et s'en tire avec une violente nausée et des vomissements. Il écrit la semaine suivante à Ober, son agent, son confident et son ami, pour expliquer que, lors de l'entretien, sa confiance a été trahie et qu'il n'en faut rien dire à Perkins, l'éditeur. Crucifié sur la place publique, il a pris conscience que tous ses doubles, ses personnages superbes et maudits, passent du désenchantement au désespoir, que lui-même n'a pas pris soin de son talent. Lucide et impitoyable envers ses pratiques et sa facilité, il l'est depuis des années et en tout cas depuis le post-scriptum d'une longue lettre à Hemingway, partie de Cannes le 9 septembre 1929 : « Et voici le dernier soubresaut de l'ancienne fierté mal placée : maintenant le *Post* allonge à la vieille putain quatre cents dollars la passe. Mais c'est que maintenant elle maîtrise les quarante positions – une seule suffisait dans sa jeunesse[1]. »

Sept ans plus tard jour pour jour, sa lettre à Maxwell Perkins parle boutique, clavicule et arthrose et donne le pauvre bilan littéraire de l'été, soit une nouvelle et deux articles pour *Esquire*, dont il n'est pas vraiment fier. Au hasard, il jette des notes et se confie dans des papiers en attente, avouant qu'il a beaucoup tiré sur ses émotions pour démarrer puis écrire ses cent vingt histoires qui, à chaque fois, se nourrissaient d'une part intime de lui-même, de son feu intérieur, si bien que maintenant il a perdu ses étincelles et se sent comme exsangue.

Son carnet de comptes l'est aussi et 1936 s'avère l'année la plus pauvre depuis 1919, qu'il déroule ainsi : il a gardé le lit pendant quatre mois et écrit sept textes de témoignage autobiographique, tels que *La Maison d'un auteur*, *L'Après-Midi d'un auteur* ou *La Mère d'un auteur*, qui ont été payés seulement deux cent cinquante dollars pièce par *Esquire*. Au bout du compte, il obtient un total très précis de 10 180,87 dollars. C'est le cauchemar, même si ses récits de lui-même, à caractère confidentiel et à peine avouable, ouvrent une nouvelle veine d'écriture. Il en parle à Perkins en février suivant et avoue sa maigre production malgré son désir

1. *A Life in Letters*, *op. cit.*, p. 169.

d'écriture : deux chapitres de roman, quatre nouvelles, huit histoires, alors qu'il lui faudrait se perdre dans ses pages pour oublier les circonstances de sa vie et tout le reste. Il ajoute, une nouvelle fois, comme toujours, qu'il ne boit plus depuis six semaines, même pas de la bière, qu'il a réduit ses dépenses et celles de Zelda de manière drastique – il faut compter six mille dollars par an de frais d'hôpital et cinquante dollars par mois d'argent de poche. Il ajoute enfin qu'il songe à écrire une pièce de théâtre, une autobiographie ou un roman lui semblant hors de portée tant ils réclament de temps, d'énergie et de ressources. En mars, il place une dernière nouvelle au *Saturday Evening Post*, pour deux mille dollars, soit la moitié de ce qu'il obtenait cinq ans plus tôt. Juste de quoi aviver ses plaies et ses rancunes.

Alors Fitzgerald, en désespoir de cause, songe à nouveau à Hollywood ; il a bien eu une proposition d'un studio qu'il a dû décliner quand il s'était fracturé l'épaule. Autour de lui, tout n'est que fausse monnaie, tout est lait coupé d'eau, sable mélangé au sucre, et tout est faux diamant : son œil de connaisseur n'est pas dupe. Physiquement, il a changé, il est pâle, son sourire est incertain, marqué par l'usure, les déceptions. Les méchantes langues disent qu'il est vaincu, qu'il a fait de sa vie un beau gâchis, qu'il a toujours couru à la catastrophe, de préférence au grand galop, et – c'est ce que lui reproche Hemingway – qu'il n'a jamais su « penser». Pourtant, comme toujours, son courrier abonde en lettres qui demandent des services, lire un manuscrit, faire publier un poème, consentir à un entretien, participer gratuitement à une émission à la radio, tout le registre de l'entraide bénévole. Mais son chapeau de magicien est vide. C'est seulement le 2 juillet 1937 qu'Ober réussit à décrocher avec la MGM un contrat à mille dollars par semaine pendant six mois, renouvelable s'il donne satisfaction. Accablé de soucis financiers, il a besoin d'un répit et il accepte. Bien qu'ils soient loin l'un de l'autre, Zelda en est ravie pour lui ; il sera, pense-t-elle, hors de danger au royaume du *glamour*. C'est l'armistice avec l'argent, et sa troisième visite à Hollywood, où il a déjà connu deux échecs. Mais il pense cette fois tirer profit de ces expériences décevantes et gagner, grâce à sa magie des mots. Chaque départ vers une destination mythique lui a apporté un nouveau souffle, un nouveau roman : New York, Paris, qui l'ont émerveillé, transformé profondément, lui ont donné leurs gerbes d'étincelles. Pourquoi pas Hollywood ?

Hollywood, dernière séquence

Dans le train de la ligne Southern Pacific qui l'emmène vers Culver City, à la MGM, le 5 juillet 1937, il rappelle à sa fille chérie que les aventures de jeunesse se paient terriblement cher, mais il atténue son propos en convenant que tous deux ont un même penchant pour le plaisir et un certain fond de sérieux qui les protège. Il garde cependant en mémoire deux échecs précédents, les scénarios non retenus de *Lipstick* pour United Artists en 1927 et de *Red Headed Woman* en 1932 pour MGM. Fitzgerald s'installe au très bel hôtel du Jardin d'Allah, 8152 Sunset Boulevard, et panache travail et loisir. Le Jardin d'Allah, une adresse à laquelle son collègue et ami Thomas Wolfe ne peut pas croire, si bien qu'il lui adresse sa lettre du 26 juillet 1937 à son ancienne adresse ! On lui a d'abord confié le script de *A Yank in Oxford,* auquel il doit mettre son vernis universitaire et, à partir de septembre, il travaille quatre mois sur *Three Comrades* (*Trois Camarades*), d'après le roman de guerre d'Erich Maria Remarque, le seul script qui sera porté à son crédit et qui connaîtra un grand succès. Il lui semble que le travail peut être créatif, comme l'agencement d'un intéressant puzzle et, fait rassurant, il retrouve parmi les scénaristes certaines connaissances des années parisiennes, dont Robert Benchley et Dorothy Parker, « Dotty » sur les petits messages qu'il lui envoie, comme tous séduits par cette autre façon de dire le monde et le fantasme, poussés sans doute par l'appât du gain rapide. Au début, c'est l'euphorie, dès la fin juillet : il a dîné, bavardé avec les stars Taylor et March, dansé avec Ginger Rogers, il a accompagné Rosalind Russel dans son dressing-room, plaisanté avec Montgomery, trinqué avec Cukor et Lasky, dîné en tête-à-tête avec

Maureen Sullivan, bref, il revit. Lorsque Ernest Hemingway passe en trombe lever des fonds pour les républicains espagnols, c'est comme le triomphe affiché de l'un face à l'échec de l'autre et Fitzgerald, ulcéré, se tient à l'écart de la fête. Meurtri, il sait qu'il faut travailler dur et ne pas se perdre dans les mondanités. Adieu Claudette Colbert, Garbo, Dietrich et Shirley Temple. Lorsque Scottie lui rend visite en août, il s'arrange pour lui faire rencontrer les vedettes qu'elle préfère, Fred Astaire et Helen Hayes, et tous trois ensemble posent pour une photo-souvenir. Par la suite, plus modestement, il emmène des amies au Tennis Club où Errol Flynn les rejoint, très gentil, un peu sot et plein de lui-même.

Au nombre de ses amies, il faut compter Sheilah Graham Westbrook, une journaliste qui est sa voisine dans l'une des villas du Jardin d'Allah, et qui sent qu'il a besoin de chaleur, de lumière, de grand air. Il la rencontre le 14 juillet 1937, au cours d'une soirée sur place organisée par l'humoriste Robert Benchley. Elle a vingt-huit ans, travaille pour une agence de presse, tient la chronique « Hollywood aujourd'hui » dans les colonnes du *Chicago Daily News*. Elle signe sous un nom de plume, car elle est née Lily Sheil, à Londres, d'une mère blanchisseuse. Elle a été placée à l'orphelinat à six ans mais rentre à la maison à quatorze ans s'occuper de sa mère qui va bientôt mourir d'un cancer. Elle a été serveuse puis vendeuse et a épousé à dix-sept ans un ancien officier de quarante-deux ans qui la laisse faire tout ce qu'elle veut, si bien qu'elle devient danseuse dans la troupe d'une revue, puis divorce, et se fiance au marquis de Donegall, qui écrit les potins mondains dans la presse londonienne. Elle prend le large et traverse l'Atlantique, puis les États-Unis pour trouver l'équivalent de ces brèves sur les gens à la mode et tient bientôt une petite chronique sous le titre « Sheilah Graham says ». Très vite, Sheilah va s'éprendre de Fitzgerald au point de rompre ses fiançailles, de devenir sa compagne et de consigner leur idylle dans *Beloved Infidel*, un best-seller publié en 1958 qui sera porté au cinéma par Henry King, sur un scénario de Sy Bartlett, et sortira en France sous le titre *Un matin comme les autres,* en 1960. Nuls autres que Gregory Peck ne pouvait jouer le rôle de Scott Fitzgerald et Deborah Kerr celui de Sheilah Graham. Le scénariste Fitzgerald et la chroniqueuse anglaise forment un couple étrange et discret, qui, la plupart du temps, se contente d'observer. Lorsque son rival Hemingway, reçu en héros, passe projeter *Spanish Earth* (« La Terre espagnole »), le film de Joris Evens dont il a écrit le commentaire, il ne se montre pas et se contente d'envoyer un télégramme. Pourtant, il fait des rencontres, sans tapage ; ainsi, au cours d'une soirée, croise-t-il Thomas Mann, qui le juge éblouissant, tant il connaît parfaitement son œuvre et sait en disserter. Depuis ses soirées au Club des élites de Princeton, Scott reste malgré lui un brillant causeur et un fin analyste de la littérature.

En cette fin des années trente, bon gré mal gré, Scott Fitzgerald est maintenant, lui aussi, dans l'usine à rêves de l'Amérique et même du monde entier. Tout comme Raymond Chandler, John Fante, James Cain, Faulkner, Hemingway, Capote, Sam Shepard et tous les autres qui ont été, à un moment ou à un autre de leur vie, les nègres d'Hollywood, les forçats qui, fortune faite ou non, ont déchanté et fui. Joseph Kessel n'a-t-il pas publié l'année précédente, en 1936, *Hollywood, ville mirage*, pour évoquer la machine à broyer les sentiments et les cervelles, les promesses grandioses non tenues faites à ces esclaves du scénario, leurs déceptions, leur désarroi ? Voici ce qu'il écrit dans le chapitre intitulé « Les usines à mirage » : « Qu'on ne se trompe pas sur cette fantaisie [des décors bâtis hollywoodiens], elle n'est que superficielle. Elle n'est que le maquillage de l'usine.

Maquillage également des édifices somptueux réservés aux auteurs, aux musiciens. Les rouages marchent impitoyablement. Tout est organisé, hiérarchisé, standardisé. Jusqu'à la pensée, jusqu'à l'inspiration.

Tous les écrivains, tous les compositeurs, même s'ils sont illustres, même s'ils sont payés de 20 à 50 000 francs par semaine, *doivent* produire dans leurs bureaux numérotés. Leur présence est exigée depuis neuf heures du matin aussi strictement que par un pointage. Leurs outils les attendent là : machine à écrire, bibliothèque, piano, orgue ou violon.

Ils sont assimilés aux opérateurs, aux stars, aux figurants, aux monteurs, aux ingénieurs du son, aux docteurs, aux infirmiers et infirmières (car ces villes ont leurs propres hôpitaux), aux secrétaires, aux balayeurs, bref à l'humanité en réduction qui s'agite au bénéfice et à la gloire de l'espèce de temple dressé au milieu du studio.

Il est splendeur et silence. Mais de lui dépend la fantastique usine. C'est là que se réunissent les dieux de l'Olympe : les executives [administrateurs] et les vrais maîtres du monde : les producers. »

On imagine la difficulté pour un styliste comme Fitzgerald, qui aime le mot et sa musique, l'intrigue et ses rhizomes, et qui doit simplifier, devenir subalterne, simple rouage dans la machinerie, poussière dans l'industrie. Mais il n'a plus d'autre choix pour payer ses factures, assumer ses obligations de père et d'époux. Comme il a un nom, il est mieux rémunéré, par exemple, que William Faulkner, son cadet de deux ans, lui aussi privé de la guerre par l'armistice, arrivé comme scénariste à la Metro Goldwyn Mayer en 1932, la « mine de sel », comme il l'appelle, où il restera près de quatre ans, un fantôme résigné qui boit sec au point de suivre une première cure de désintoxication en 1936. Faulkner avait publié *Le Bruit et la Fureur* une quinzaine de jours avant le Jeudi noir de 1929, ce roman qu'il considérait comme son échec le plus splendide. La splendeur de l'échec, Fitzgerald en sait lui aussi quelque chose lorsqu'en l'absence de sa femme et de sa fille, il pense qu'il est encore temps de changer de vie, de prendre un nouveau départ, comme il l'a déjà tenté des centaines de fois.

Tardive métamorphose, lorsqu'il entre dans ce qu'il nomme la maison hantée d'Hollywood. Maison du diable, parce que Fitzgerald a très tôt compris la lutte violente entre l'écrit et l'image ; il s'en est exprimé dès 1934 dans *L'Effondrement* : « Je m'aperçus que le roman représentant au temps de ma pleine maturité le moyen le plus puissant et le plus souple de transmettre l'émotion d'un être humain à un autre, était en train de se subordonner à un art mécanique et collectif qui, entre les mains des marchands d'Hollywood comme entre celles des idéalistes russes, n'était plus en mesure d'exprimer que la pensée la plus banale et l'émotion la plus convenue. Dans cet art, les mots étaient soumis aux images, et la personnalité réduite pour aboutir au profil bas que la collaboration impose inévitablement[1]. »

On mesure là et sa lucidité et ses réserves initiales devant ce qu'il considère comme une force implacable dès lors qu'il se sent menacé d'archaïsme malgré lui.

---

1. *L'Effondrement*, *op. cit.*, p. 67.

Toujours dans *L'Effondrement*, il note : « Je ressentais comme un outrage insupportable, devenu à mes yeux presque une obsession, de devoir assister à la subordination du pouvoir du mot écrit à un autre pouvoir, à un pouvoir plus scintillant, plus grossier. » Ce conflit intérieur l'habite, cette certitude de l'asservissement du mot à l'image, et le pressentiment de l'ultime défaite du langage écrit, donc de la littérature.

De manière générale, il se tient éloigné des mondanités dont, plus jeune, il raffolait et le temps où Zelda plongeait en robe de soirée du haut d'une falaise n'est plus le sien. Les mauvais jours où il constate la corruption, l'indifférence cachées derrière la ruée vers l'or d'Hollywood, ventre mou de l'Ouest où chacun vient pour de mauvais coups, et il ne peut s'empêcher de faire des comparaisons avec la belle Provence au détriment de la Californie. Pour l'heure, Scott a trois femmes en tête : Scottie, Zelda, Sheilah. Grand épistolier, il entretient une correspondance suivie avec sa fille et son épouse qu'il va voir la première semaine de septembre à Asheville pour l'emmener quatre jours en Caroline du Sud, à Myrtle Beach. De son propre aveu, il continue à attendre le miracle, mais le voyage tourne à vide, Scottie s'isole, Zelda n'aime pas l'hôtel, Scott tousse. Pour oublier l'épisode, il va recommencer et l'emmener en avril de l'année suivante à Cuba : le voyage tourne lui aussi au désastre. Épuisé par ces hauts et ces bas, il écrit avec une infinie tristesse : « Je ressens toujours une profonde pitié pour elle. Elle comptait parmi les enfants de ce monde qui ne grandissent jamais, ces casse-pieds passés maîtres dans l'art de s'en tirer avec un sourire, ceux que les gens tolèrent jusqu'à tant qu'on leur fasse réaliser à quel point ils sont pesants[1]. »

Mais il revient sur son sort et le voilà qui compose des poèmes, parmi eux *Obit in Parnassus* (*Deuils au Parnasse*), dont la première strophe égrène les poètes morts avant quarante ans, Byron, Keats et Shelley. Il y a encore *Le Banquet du septième art* qui est directement inspiré par son quotidien, le luxe des réceptions des studios, les paillettes des femmes, les discours creux, la sotte fatuité des grandes vedettes ; en somme, l'univers frelaté d'Hollywood aux antipodes des célèbres évocations de rossignol et de jonquilles des romantiques. Les poèmes n'ont guère d'intérêt, sauf à souligner l'inquiétude latente et la dose d'autodérision qu'il manie en permanence. Fitzgerald les griffonne sans intention urgente de les publier. Tant mieux, car il faut se garder d'ennemis ulcérés dans la place. Bonne nouvelle : en décembre 1937, le contrat de Scott à la MGM est renouvelé pour une année, avec une augmentation puisqu'il passe à mille deux cent cinquante dollars par semaine. Il va successivement travailler sur les scripts des films *Infidelity*, *Marie*

1. *Lots of Love*, p. 100.

Antoinette, *The Women* et *Madame Curie*, mais de manière assez erratique. *Infidelity* va changer de titre et devenir *Fidelity* pour contourner la censure. Malgré la présence de Joan Crawford dans la distribution, l'affaire est abandonnée au bout de trois mois. On l'affecte à *Madame Curie* puis à *Autant en emporte le vent*. Fitzgerald entend travailler seul, faire ses preuves, sortir quatre scripts par an et, à l'avenir, demander beaucoup d'argent. Il lui pousse des ailes, mais dès janvier 1938, il est furieux que le producteur ait réécrit son script sans l'en aviser, si bien qu'il fait un courrier à Joseph Mankiewicz pour lui dire toute son amertume, faisant valoir que le nouveau script qu'il a en main est mal écrit et qu'il faut se ressaisir. Zelda souhaite voyager, Scott l'emmène en septembre à Charleston, à Miami pour Noël, villégiatures bien tristes au regard de leurs folles équipées de jeunesse. Les Fitzgerald passent Pâques au bord de la mer en Virginie et c'est le fiasco : les leçons de golf et de tennis tournent court, mère et fille se disputent ; excédé, Scott s'enivre. Au retour, en avril 1938, Scott prend un bungalow à Malibu, tout près de la plage et aussi de Los Angeles, pour un loyer mensuel de deux cents dollars, soit la moitié de ce qu'il payait au Jardin d'Allah. Il engage une employée de maison noire et Sheilah vient le rejoindre aussi souvent qu'elle le peut. Menant une vie paisible, ils jouent au ping-pong, font des petits festins de soupe de crabe et de soufflé au chocolat, Scott est connaisseur en vins. Il reprend goût aux promenades, au soleil et au grand air.

En père attentif, il se soucie pour sa fantasque Scottina : obtiendra-t-elle les recommandations de son école pour intégrer Vassar ? Il tient par-dessus tout à cette admission, il imagine déjà sa fille chérie dans le lieu de tous les prestiges, sur la côte Est, comme il se doit à l'époque, équivalent pour lui de Princeton et de ses belles années universitaires. Mais voilà l'incident exécrable, vécu comme une catastrophe qui, Scott et Scottie en sont convaincus, va tout gâcher et lui barrer la route. En effet, Scottie et sa camarade Alena Johnson ont fait une brève escapade en auto-stop jusqu'à New Haven pour passer quelques heures de ce mois de juin 1938 à Yale, avec le fiancé d'Alena et l'un de ses amis. Coup du sort, elles sont repérées par une enseignante qui les dénonce et aussitôt elles sont menacées de renvoi pour être sorties sans permission. Les professeurs ne leur parlent plus, elles doivent signer des aveux écrits. Scottie n'a pas encore dix-sept ans, la voilà dans tous ses états à l'idée de décevoir son père, elle lui raconte tout dans le détail. Mais tout est bien qui finit bien, Scottie passe ses examens terminaux le 24 juin, sa mère et sa tante Rosalind, toutes deux chapeautées, assistent à la cérémonie de remise des diplômes puis elle va rendre visite à son père à Malibu, avant d'intégrer le magnifique Vassar College de Poughkeepsie en septembre. Son père en est très fier : il lui explique que ses parents lui ont fait le cadeau de quatre années à Princeton et qu'il veut faire de même avec Vassar. Qui plus est, elle tient vraiment de lui, car l'épisode du renvoi de l'école Ethel Walker va donner lieu à un texte enlevé qu'elle intitule « La Fin de tout » et qui paraîtra en août 1940 dans *College Bazar* et en octobre de la même année dans le *New Yorker*, car elle aussi veut gagner un peu d'argent pour soulager son père. Ainsi commence, bien dans la manière de F. Scott Fitzgerald, la signature de Frances Fitzgerald, pour des péripéties vécues transformées en pépites pour les journaux.

Très proches l'un de l'autre, ils sont les confidents de leur commune histoire hantée par l'ombre tragique de Zelda. La famille est écartelée : sur la côte Ouest, à Hollywood, Scott ; exilée à l'Est, Scottie, et l'immense Amérique entre eux ; au milieu Zelda, en Caroline du Nord, qui écrit tous les lundis. Chacun soupire, ressent cruellement l'isolement, les années de La Paix avec les leçons d'histoire de France, les chevaux, les parties d'échecs sous le porche, tout cela est bien loin. Et malgré l'âge tendre et vulnérable de Scottie, après l'épisode de l'escapade à Yale qui a failli tourner à la catastrophe, il redevient un père très en colère qui lui assène ce commentaire en forme de leçon de vie :

« Quand j'avais ton âge, j'ai vécu un rêve magnifique. Mon rêve a grandi et j'ai appris à le raconter et à le faire entendre. Alors mon rêve a bifurqué pour ainsi dire le jour où finalement je décidai d'épouser ta mère, tout en sachant qu'elle avait été très gâtée et qu'elle ne ferait pas mon bonheur. Aussitôt après notre mariage j'ai regretté de l'avoir épousée, mais à l'époque j'étais patient : j'ai fait contre mauvaise fortune bon cœur et j'ai appris à aimer ta mère d'une autre façon. Puis tu es venue, et pendant longtemps nous avons eu quantité de bons moments. Pourtant j'étais écartelé : ta mère exigeait que je travaille pour elle beaucoup plus que pour mon rêve. Elle a compris trop tard que la dignité est dans le travail et non ailleurs ; elle a essayé de réparer son erreur en travaillant elle-même mais trop tard, elle a ruiné sa santé, et pour toujours. Quant à moi, le temps était passé où j'aurais pu réparer les dégâts : pour ta mère j'avais presque épuisé mes ressources intellectuelles et matérielles ; néanmoins, j'ai lutté encore cinq ans jusqu'au moment où ma santé a flanché : je n'eus plus alors d'autre souci que de boire et d'oublier[1] »

Depuis des années, en effet, sa santé se délabre lentement – poumons abîmés, poussées de tuberculose, cœur fragile. Il craint le pire, pour Zelda, pour Scottie, une

1. *Ibid.*, p. 106-107.

sorte d'hérédité malfaisante, un désastre si, comme sa mère, elle était prompte à se laisser aller quand il faut tenir bon, incapable d'utiliser son énergie à bon escient. La peur de l'émiettement, de la futilité, du gâchis le saisit, et Hollywood n'arrange rien, cette Babylone où il vend son talent d'écrivain à la petite semaine, comme tant d'autres. Peu à peu, Hollywood se transforme, à ses yeux en l'Armageddon de la Bible. Pendant ce temps, ses grands contemporains – Faulkner, Steinbeck, Nabokov, Hemingway, Dos Passos, MacLeish, Sandburg – publient. Lui s'occupe de sa famille, tout en s'éprenant sincèrement de Sheilah à qui il écrit des poèmes d'amour dont un lui est dédié « à Sheilah, l'infidèle bien-aimée », expression que la jeune femme, qui garde précieusement les cartes postales laconiques que Scott lui adresse au 1530 King's Road, donnera comme titre au livre qu'elle publiera en 1958 : *Beloved Infidel, The Education of a Woman*. Leur attachement se fortifie encore lorsqu'elle lui avoue qu'elle n'a pas mené ses études aussi loin qu'elle l'aurait souhaité. Ravi, Fitzgerald se transforme en professeur de lettres, de musique et d'histoire, faisant des fiches qui vont lui permettre d'acquérir la culture qui lui manque. Le rapport maître-élève leur convient, ils l'appellent « A College of One », leur université particulière, comme on parle de cours particuliers ; l'élève ne manque pas d'être surprise des contradictions du maître, découvre qu'il fait inlassablement des listes, qu'il dresse des catalogues, qu'il est très ordonné, alors, dit-elle, que sa vie fut si chaotique. En octobre 1938, Fitzgerald emménage dans une très jolie maison de bois à balustrades, dite Belly Acres, qu'il loue à Encino, dans la vallée San Fernando. Préférant cette fois l'arrière-pays à la plage, il y restera dix-huit mois. Et, sans filet, le voilà qui collabore avec Budd Schulberg, à l'écriture de scripts pour le festival *Carnaval d'hiver* de Dartmouth, dans le New Hampshire, auquel ils vont se rendre ensemble en février. Mais avant même de prendre l'avion pour New York, Fitzgerald a une forte fièvre. À l'arrivée, il tombe dans la neige sur le campus, boit trop et fait une impression déplorable, si bien que les deux coscénaristes sont prestement remerciés. Cette brève entente, assez ambiguë entre un auteur de grande renommée et un débutant, va inspirer au jeune et ambitieux Schulberg un roman dont Scott est le héros, et qui s'intitule *The Disenchanted.* Publié en 1950, dix ans après la mort de Fitzgerald, ce roman raconte l'histoire d'un jeune scénariste appelé à collaborer avec un célèbre romancier au nadir de sa gloire, à l'écriture d'un film… Best-seller aux États-Unis, une version pour le théâtre sera jouée à Broadway en 1958. *Le Désenchanté* ne saurait mieux dire, c'est bien le mot qui caractérise Fitzgerald qui s'est remis à boire, faute du carcan strict de la MGM mis au point en matière de consommation d'alcool. Quelques mois plus tard, il explique le désastreux épisode du Carnaval, en parlant ouvertement de sa pharmacopée, à l'automne, il prenait de plus en plus de somnifères, trois cuillerées de chloral, deux cachets de Nembutal, quarante-huit gouttes de digitaline pour le cœur et dans l'avion qui l'emmène avec Schulberg et Miss Graham, du gin et du champagne. On connaît la suite.

À l'échéance de l'année civile, la Metro Goldwyn Mayer ne renouvelle pas son contrat : c'est grand dommage car il s'agit de son unique gagne-pain et la Metro lui a bel et bien versé quatre-vingt-dix mille dollars en dix-huit mois, de quoi payer ses dettes. Sitôt le contrat terminé, au début de l'année 1939, il sait que les problèmes d'argent ne vont pas tarder à réapparaître. Il s'en ouvre à Ober, demande une fois de plus qu'il n'en dise rien ni à Perkins ni à Scottie parce que, dit-il, ils ne comprendraient pas. Mais il fait bonne figure, déclarant qu'il va désormais travailler à son compte. Devenu donc malgré lui scénariste indépendant, il est engagé à la semaine, parfois à la journée, et commence d'abord par passer un mois à la Paramount. Il travaille brièvement à *Autant en emporte le vent* en février. S'enchaînent alors des engagements free-lance ; à nouveau il se tourne de temps à autre vers Ober pour lui emprunter de l'argent mais celui-ci, cette fois, tient bon, fort de l'adage qu'il faut « dépenser ses centimes avec parcimonie et que les gros billets se chargent d'eux-mêmes ». En avril, les Fitzgerald sont de nouveau à Cuba, où, s'interposant pour arrêter un combat de coqs, Scott se fait copieusement rosser. Écœuré, il est ivre quasiment à plein temps et doit être admis à l'hôpital dès leur retour à New York. Zelda rentre seule par le train jusqu'à Asheville : ils ne se verront plus. Démence pour elle, suicide à l'irlandaise au fond des bouteilles pour lui, le naufrage pour tous deux et la nuit dans leur âme.

De retour à Encino, il est alité durant deux mois. On lui découvre une lésion au poumon. La fièvre s'installe et ne le quitte pas et la maladie coûte cher. Absent des studios, il ne gagne plus rien. En août, il doit se contenter d'un engagement d'une semaine aux studios Universal, d'une journée chez Twentieth Century Fox, suivie d'une semaine pour Samuel Goldwyn. Puis plus rien pendant six mois. En octobre, il avoue à Zelda qu'il écrit des nouvelles pour *Esquire*, à la hâte, car il est pratiquement sans argent : il lui reste cent dollars à la banque. Ses amis intimes, les Ober, Perkins et Murphy, l'ont largement aidé à acquitter les frais élevés de scolarité à Vassar. Devant sept mille dollars à Scribner, il envisage de traiter directement sans l'intermédiaire d'Ober, pour mieux vendre ses textes. Il a neuf livres alignés sur les rayonnages des libraires mais qui ne se vendent guère. Alors qu'il doit garder la chambre cinq mois, d'avril à début septembre, les nouvelles du monde sont mauvaises : l'Allemagne a envahi la Pologne, la guerre est déclarée, il est inquiet. Pourtant, l'essentiel est que Scottie fasse sa rentrée scolaire. Le 6 octobre, de sa maison du 5521 Amnesty Avenue à Encino, où il travaille à l'esquisse de son roman, il supplie Zelda de le laisser en paix, avec ses hémorragies et ses espoirs, mais il n'empêche, il lui demande le droit de la sauver, la permission de lui donner une chance ; ils s'écrivent sans relâche, des lettres vivantes, sincères, pleines de questions ; il lui envoie un gros bouquet pour son anniversaire en juillet, des glaïeuls jaunes, de grandes marguerites blanches, des asters rouges, elle remercie avec effusion son « cher DO.DO » et rêve de retrouvailles ou encore de sortir de l'hôpital pour regagner Montgomery et la maison de sa mère dont la rue s'appelle désormais rue Sayre, en mémoire du juge, une petite maison au numéro 322, avec un porche peint en vert et des rangées de pots de fleurs et de rosiers grimpants.

Zelda insiste tant que le 20 octobre 1939, Fitzgerald envoie une lettre sans appel au docteur Caroll. Les faits sont là et il est inutile de se voiler la face : il sort de dix jours de lit pour une légère rechute de sa tuberculose, Zelda lui écrit trois fois par semaine, sa belle-mère a quatre-vingts ans et le traite mal depuis dix ans, il en a assez et ne veut pas être tenu pour responsable des actes d'une malade mentale si elle sort de l'hôpital et n'a pas les moyens de payer une infirmière, il songe même à divorcer. Au milieu de la lettre, une phrase terrible : « Elle m'a coûté tout ce qu'une femme peut coûter à un homme – sa santé, son travail, son argent[1]. » En conclu-

1. *A Life in Letters, op. cit.*, p. 418.

sion, il écrit – souligné à la machine – qu'il ne veut plus recevoir de telles lettres de Zelda et demande au médecin d'y veiller. En post-scriptum, il ajoute que la vie est dure financièrement pour Scottie et lui, qu'il forme une « structure » avec sa fille, qu'un ami a avancé les frais d'inscription et de scolarité, que la famille de Montgomery est un nœud de vipères. La même semaine, il envoie un courrier à Ober où il l'informe qu'il traite désormais directement pour vendre ses textes et feuilletons au mieux, c'est une lettre brève où il avoue qu'il a vécu « dangereusement ».

Dix jours plus tard, il écrit à sa Scottina, lui rappelant que cet affectueux diminutif est une trouvaille de Gerald Murphy, du temps des étés à la Garoupe, pour lui annoncer qu'il commence un roman qui pourrait être un bon livre et que cela va lui prendre quatre à six mois. Son titre provisoire : *L'Amour du dernier nabab, western.* Il avait besoin d'un héros romantique, il l'a trouvé en la personne du producteur légendaire, Irving Thalberg. Fragile, maladif, ce fils d'un importateur de dentelle, d'origine juive alsacienne, est arrivé à Hollywood en 1919 comme secrétaire du président des studios Universal. Lorsque ce président repart sur la côte Est, il laisse Thalberg comme simple agent de liaison. À vingt ans, c'est lui qui gère les questions liées à la distribution des films et, progressivement, prend les commandes de l'affaire. Huit ans plus tard, au moment où

Fitzgerald le rencontre, il est devenu chef de la production chez MGM, avec un salaire faramineux. Petit, mince, les yeux ardents, il a l'air d'un jeune homme bien élevé. Il meurt à trente-sept ans. Cet autocrate perfectionniste et doué enchante Fitzgerald qui en fait le modèle de Monroe Stahr, modèle, comme souvent, côtoyé dans les soirées, lors du séjour de 1931, et dont il conserve à l'esprit toute la phosphorescence.

Les lettres à Scottie se suivent à un bon rythme car Scott continue de la conseiller sur les options qu'elle doit prendre en poésie : il la félicite d'avoir pris le français comme matière principale, lui laisse le choix pour le cours d'histoire de la musique. En philosophie, il l'invite à éviter un cours panoramique et lui demande de se concentrer sur les grands : Platon, saint Thomas d'Aquin et Descartes. Il faut voir aussi du côté de Hegel, source de tous les courants de pensée marxisants du moment. Selon son père, elle pourrait prendre le cours d'introduction à la physique, et, s'il faut absolument choisir une option scientifique, la préférence doit aller à la botanique car il l'imagine déjà architecte-paysagiste, façon Le Nôtre à Versailles, certain que pour son épanouissement et son plaisir, elle doit absolument faire entrer la nature dans sa vie. Il lui recommande aussi une toute récente traduction de Proust. Puisqu'elle aime les lettres, elle rédige un article pour

Mademoiselle, ce qui rend Scott furieux : « Pas de dispersion ! » Pire, elle fonde à Vassar une troupe de théâtre qui a pour nom O My God It's Monday, dite l'OMGIM, et, l'année suivante, elle écrit une comédie musicale *Guess Who's There* : il y a décidément de la graine de Scott Fitzgerald chez Scottie...

Au printemps 1939, il fait face à une rupture passagère avec Sheilah Graham, lasse des orages et de l'ébriété, mais qui revient pourtant à lui avec une infinie patience, une admiration qui l'apaise. Et il poursuit affectueusement sa correspondance avec Scottie et Zelda, félicite Hemingway qui lui a envoyé *Pour qui sonne le glas* avec la dédicace : « À Scott, avec affection et estime ». La revue *Esquire* n'accepte plus désormais qu'un texte par auteur et par numéro, or Fitzgerald ne renonce pas à placer ses histoires nouvelles, voire plus anciennes, si bien qu'il propose à Gingrich de les publier sous les pseudonymes de Paul Elgin et de John Darcy. C'est ainsi que la nouvelle *On an ocean wave* (« Sur la vague d'un océan ») sera publiée sous la signature de Paul Elgin. Coquetterie, il rêve même d'être lu, incognito, par Scottie qui lui enverrait une lettre de fan ! Bref, il ne renonce pas, cesse de boire, reprend confiance en lui, convaincu que les sacrifices consentis pour Zelda et Scottie ne manquent pas d'une certaine grandeur, après tout. Fitzgerald, « avec son courage et sa patience de pauvre malgré tout accroché à sa chimère[1] », se relève et retrouve foi en son œuvre de romancier. Lui qui a beaucoup lu Verlaine fait siens ces vers du recueil *Parallèlement* :

> « Ah, quel cœur faible que mon cœur !
> Mais mieux vaut souffrir que mourir
> Et surtout mourir de langueur.
> [...]
> Tout ce passé brûlant encore
> Dans mes veines et ma cervelle
> Et qui rayonne et qui fulgore
> Sur ma ferveur toujours nouvelle ! »

Le 15 avril 1940, Zelda retourne chez sa mère à Montgomery. Elle recouvre la liberté, retrouve le calme d'une maison et une ville rassurante, même si elle éprouve encore des difficultés à se remettre dans une vie ordinaire. Elle marche huit kilomètres par jour, selon les instructions du médecin, ne mange pas de viande et ne boit pas d'alcool. Les souvenirs prennent le pas sur les promesses mais ce n'est pas le calme pour autant, car la guerre en Europe est source d'inquiétude. En mai, Scott emménage en ville, à Hollywood, au 1403 North Laurel Avenue. Il est devenu fébrile, l'incertitude internationale l'empêche de travailler, même s'il est obsédé par

1. André Bleikasten, in « La gloire du vaincu », *Le Magazine littéraire*, p. 34.

son roman. Parallèlement à l'écriture de ce livre, il se lance dans une série satirique des milieux du cinéma hollywoodien en dix-sept épisodes courts, centrés sur le personnage de Pat Hobby, auteur de scripts, un scénariste alcoolique et raté. Là encore, l'inspiration autobiographique est évidente, mais le lectorat assez restreint : son ami Arnold Gingrich les prend pour deux cent cinquante dollars seulement, afin de les publier dans *Esquire* ; Scott n'a plus d'argent, une fois de plus, une fois de trop. Il fait face à ses souvenirs et s'en ouvre à Zelda : « Il y a vingt ans, *This Side of Paradise* était un best-seller et nous étions installés à Westport. Il y a dix ans, Paris vivait presque sa dernière saison américaine, mais nous ne faisions plus partie de la farandole et tu étais partie en Suisse. Il y a cinq ans, j'avais ma première mauvaise attaque et je suis allé à Asheville. Les mauvaises cartes sont sorties trop tôt pour nous[1]. »

Le recueil de nouvelles *Un diamant gros comme le Ritz*, paru en Pavillons poche en 2005, se termine par un groupe de courts textes jusque-là inédits en France, écrits de 1937 à 1940. D'emblée, leurs titres en disent long : *Un cas d'alcoolisme*, *La Longue Fuite*, *Les Finances de Finnegan* et *La Décade perdue*. Autant de bilans provisoires mais ultimes, d'autoportraits qui éclairent les tourments de Scott Fitzgerald, mais aussi son

1. Cité par Nancy Mitford, *op. cit.*, p. 451.

détachement et sa lucidité. Le voici sous les traits de Trimble, qui revient à New York, arpente la Cinquième Avenue en quête de traces de son passé, attentif à l'architecture, curieux de la mode dans les vitrines, soucieux d'être reconnu au restaurant, mais en vain. Ce Trimble, en visite chez son agent littéraire, cherche à capter les rythmes nouveaux, le pouls des conversations, bien conscient qu'il a décroché depuis dix ans, que, depuis 1928, il est ivre de toutes les manières possibles, entre deux mondes, entre deux verres. Ailleurs, il est Finnegan hantant une fois encore le bureau de son agent, auteur désargenté et versatile, qui écrit aussi bien roman, pièce de théâtre ou nouvelle, faisant beaucoup pour parfaire un style limpide, un humour sans défaut qui, pense-t-il, sont sa marque de fabrique :

> « Le nom de Finnegan valait réellement son pesant d'or. Sa carrière avait débuté de façon brillante et si elle ne s'était pas toujours maintenue au même niveau, elle n'en prenait pas moins un nouveau départ spectaculaire tous les deux ou trois ans. Il restait l'éternel écrivain d'avenir de la littérature américaine et ce qu'il arrivait à faire des mots était étonnant. Il les rendait brillants, scintillants, il écrivait des phrases, des paragraphes, des chapitres qui étaient de véritables chefs-d'œuvre de construction et d'équilibre[1]. »

1. *Un diamant gros comme le Ritz*, *op. cit.*, p. 785-786.

Voilà Fitzgerald, devant son miroir, à la fois flottant et précis, perdu et cherchant une boussole, ivre pendant dix ans, tirant parti de ses échecs comme de ses faiblesses, enfanteur de pépites, désespérément seul, écrivain jusqu'au bout.

Les nouvelles de l'Europe lui font craindre le pire pour ses amis, au moment où la France est envahie, et il se prend à rêver d'une mission de correspondant de guerre, peut-être à Paris, comme jadis Hemingway, son modèle implicite. En mai 1940, il emménage au 1443 North Hayworth Avenue, chez sa compagne qui habite un rez-de-chaussée, car son état cardiaque lui interdit désormais les escaliers. On lui passe commande d'une adaptation de sa nouvelle *Babylon Revisited* (*Retour à Babylone*), moyennant quatre cent cinquante dollars par semaine ; il envisage d'autres titres dont « Honoria » ou « Cosmopolitan » ; on pressent même Shirley Temple dans le rôle principal, mais, faute de metteur en scène, le beau projet qui fait le lien entre l'écrivain et le scénariste doit être abandonné et il ne touche pas les deux mille cinq cents dollars escomptés après acceptation. Il se remet à son roman *The Last Tycoon* (*Le Dernier Nabab*), cette transcription de la personnalité brillante et de la vie d'Irving Thalberg dans l'oscillation perpétuelle entre génie et écrasement, un météore collant parfaitement à son temps et à l'esprit d'Hollywood. De cette parenté d'aspirations va-t-il faire un destin emblématique et romanesque, un destin excessif et tumultueux comme il les aime et comme on les aime en Amérique ? En réalité, il tend le miroir de la mort à Hollywood, avec l'ambition d'un tragédien dont le héros combine l'étoffe des Grecs antiques et la hardiesse des desperados de la conquête de l'Ouest. Sa référence au western, au grand mythe américain, est nouvelle : Stahr aura l'étoffe des pionniers. C'est l'occasion, une fois encore, de reprendre l'élégie, de dire une nostalgie, le naufrage de son Amérique idéale pleine de promesses. À partir du plan et des notes, des graphiques qui couvrent les murs de sa chambre, avec ses personnages, leurs déplacements, six chapitres sont rédigés. Il écrit, beaucoup, il suit à la radio les matchs de football de Princeton, écoute attentivement les communiqués sur la guerre en Europe.

Les lettres à sa « très chère Zelda », où il confie que le climat de la Californie est bien monotone, celles à son « cher Max » (Perkins), à Scottie « très chère Scottina », continuent à un rythme soutenu, pleines de détails sur son travail, ses préoccupations du moment, ses problèmes d'argent, ses projets pour les vacances, le cours d'été à Harvard de Scottie, le petit voyage d'août sur la côte de Zelda... Ses comptes chez l'éditeur sont au plus bas. Cette année, il n'a vendu que quarante livres ! Raison de plus pour prodiguer des conseils de lecture à sa fille, par exemple *Les Frères Karamazov*, *Le Père Goriot*,

Vie de Jésus de Renan. D.H. Lawrence, Ibsen, le journaliste et militant Reed, seul Américain à avoir pénétré à l'intérieur du Kremlin et auteur des célèbres *Dix jours qui ébranlèrent le monde*, figurent dans les prescriptions car il croit toujours en la réflexion éclairée sur les styles, en la divine puissance du verbe. Alors, lui qui sait si bien dire les textes, enregistre à Los Angeles, en cette fin d'année 1940, des extraits de la scène 3 de l'acte I d'*Othello*. La voix est posée, émouvante, semblant peser chaque mot, et se laissant aussi porter par la musique du Maure de Venise. Les vers de Shakespeare lui permettent de dire comment on gagne l'amitié des puissants seigneurs et le cœur d'une fille !

« ... À cette invite, j'ai parlé.
Elle m'aimait pour les dangers que j'avais traversés,
Et je l'aimais de les prendre en pitié.
C'est la seule sorcellerie dont j'ai usé. »

Les mots, arme fatale, sésame de toutes les passions. Les mots, les voyages, la culture, voilà ce qui lui importe, voilà ce qu'il entend léguer à sa fille qui a écrit une pièce de théâtre durant l'été et qui suscite la curiosité des journalistes puisqu'elle est la fille du couple mythique. Mais Scottie lui cause pourtant un souci au moment de la rentrée universitaire. Il s'en explique dans sa lettre, écrite au 1403 Laurel Avenue :

Samedi 14 septembre 1940

Scottie chérie,

Deux lettres de ta mère me parlent de ton désir de ne pas retourner à l'université, ainsi que tu l'as écrit toi-même.

Tu as parfaitement bien compris : au travers de mes courriers, j'essaie de ne lui rendre qu'une version partielle des faits. Techniquement, tout ce que je lui écris est la vérité : je couve bien une légère fièvre et, alors que je devais rédiger une nouvelle pour *Esquire*, je me suis tenu au repos pendant une semaine et j'ai mis ma voiture au clou afin d'être prêt pour ce boulot. De toute façon, je serai bientôt au travail, ne serait-ce que parce que je ne conçois pas de rester allongé sur le dos ; et, crois-moi, les choses allaient nettement plus mal l'an dernier ; alors ma voiture était gagée par nécessité et je devais emprunter de l'argent pour t'envoyer à l'université.

Oublie cette idée. Tout va pour le mieux ici.

Je suis en train de faire encadrer quelques gravures. Souhaites-tu une image de moi du temps de ma splendeur ou en possèdes-tu déjà ?

Avec toute mon affection,

Papa[1].

1. *Lots of Love*, *op. cit.*, p. 231.

Quatre jours plus tard, Scottie répond de Baltimore, le remercie pour ses généreux chèques, détaille ses emplettes – robes, chaussures, cadeaux – et fait part de sa hâte à retrouver le surlendemain tout à la fois l'université et le « Salon moderne intellectuel » du mardi soir où l'on se régale de beurre de cacahuète et de confiture, ainsi que le bel Andrew, son amoureux. Le 21 septembre, Scott expédie trois eaux-fortes à Poughkeepsie ; tout est rentré dans l'ordre du côté de sa très chère Scottina, revenue à Vassar, qui lui fait part de son emballement pour le roman de Thomas Mann, *Mort à Venise*. Elle a aussi écrit une chanson, *Le Sultan insultant* pour la comédie musicale de Vassar inspirée des *Mille et Une Nuits*, qui se donne fin octobre. Et Scott ne manque pas de s'attendrir secrètement tant ses années de Princeton se réincarnent dans une nouvelle jeunesse, celle de sa fille.

Fin novembre, Fitzgerald fait un malaise au drugstore Schwab sur Sunset Boulevard. Se remettant doucement, il reprend ses plans pour faire avancer son roman au rythme régulier d'une page par jour de manière à se fixer des échéances, et conçoit cependant des variantes : mille mots par jour, sept jours par semaine, ce qui lui permettra de terminer à la mi-janvier, c'est ce qu'il annonce à Perkins. Il n'est plus le panier percé qui « gaspille le matériau », comme il avait coutume de dire de sa génération. À sa manière candide et simple, il confie à Scottie en décembre : « Je suis toujours alité ; cette fois c'est le résultat de vingt-cinq ans de cigarettes. Tu as pour père et mère deux exemples éclatants à ne pas imiter. Il te suffira de faire tout ce qu'ils n'ont pas fait et tout ira à merveille[1]. » C'est qu'il vient d'envoyer à Scottie, pour compléter sa garde-robe, une jolie veste trois-quarts, que Sheilah a très peu portée, et il lui demande instamment d'écrire tout de suite une lettre de remerciement. Dans sa lettre à Zelda, en date du 19 décembre, il glisse un petit chèque, moins gros dit-il que celui à Scottie, mais toutes deux passeront les fêtes ensemble et auront ainsi des cadeaux de Noël. Deux jours plus tard, Scott a, comme toujours, vérifié la composition des équipes dans le journal hebdomadaire des anciens de Princeton et il écoute à la radio la retransmission d'un match de football en grignotant du chocolat. Le feu brûle dans la cheminée, il a eu un second malaise la veille à une première au théâtre où il a vacillé et a dû s'agripper au fauteuil, et il attend dans l'après-midi la visite du docteur Nelson. Il se lève, fait quelques pas vers la cheminée et s'effondre.

Tous les grands journaux, du *New York Times* au *New York Herald Tribune* et au *Los Angeles Times* consacrent de longues colonnes au décès de Scott Fitzgerald, voix éloquente de la génération perdue, plume des désillusions de l'âge du jazz, auteur étonnant à maints égards, qui avait trouvé très tôt sa voie et n'a pas su s'y

1 *Ibid.*, p 264.

tenir. Tous rappellent sa carrière brillante de romancier les succès de *This Side Of Paradise*, *The Great Gatsby* et *Tender is the Night*. Il est enterré le 27 décembre dans le Maryland par une âpre journée d'hiver, au cimetière épiscopalien de Rockville Union, faute de rejoindre ses ancêtres au petit cimetière catholique de Saint Mary, car l'évêque de Baltimore a refusé son inhumation comme s'il n'était plus des leurs. Zelda a demandé à son beau-frère de s'y rendre à sa place ; il y a là Scottie, une poignée d'amis de toujours, les fidèles, Sara et Gerald Murphy, les Perkins, les Ober, le juge Biggs, les Turnbull. Sa dépouille a été transférée à Rockville après un service funèbre conduit par le révérend Raymond P. Black, pasteur de l'Église épiscopalienne du Christ, dans la maison funéraire Pumphrey de Washington.

Fitzgerald, trop tôt reposé sur ses lauriers d'auteur prodige, être paradoxal, mort à quarante-quatre ans, les poches pleines de promesses et le cœur plein d'espoirs, laisse ses affaires en ordre. À l'ouverture du testament, le 20 janvier 1941, l'héritage de dix mille dollars est réparti en deux moitiés, pour Zelda et Scottie, l'une pour une rente – sur les conseils du juge Biggs, exécuteur testamentaire, de manière à assurer la vie courante de Zelda à Montgomery en Alabama –, l'autre pour une allocation mensuelle de cent dollars à Scottie, jusqu'à ses vingt-trois ans, date à laquelle elle touchera le solde de sa part du capital légué. Scottie termine ses études à Vassar en juin 1942, épouse Samuel J. Lanahan, un étudiant de Princeton, alors officier dans la marine américaine en guerre dans l'Atlantique, le 13 février 1943 à New York. Devenue écrivain, journaliste et membre actif du parti démocrate, elle meurt en juin 1986 et repose auprès de ses parents exhumés en 1975 pour être enterrés au cimetière de Saint Mary à Rockville. Sa fille Eleanor lui consacre une biographie en 1995.

Autre approche, qui célèbre également Fitzgerald, le roman de Sheilah Graham et Gerold Frank, *Beloved Infidel*, paraît en 1958, tandis que le film du réalisateur Henry King *Un matin comme les autres*, inspiré par le livre et produit en 1959, sort en France en 1960. Dans la sphère littéraire, il est devenu la référence pour nombre d'écrivains de par le monde. Un seul exemple, le Japonais Haruki Murakami qui déclare : « En tant que romancier, j'entrevois Fitzgerald comme une balise, une façon de situer mon travail. Parfois, je m'essouffle, me décourage, parfois je rassemble mes forces pour faire face. La plupart des écrivains, je suppose, ont plus ou moins en tête un écrivain référent qui les aide à apprécier leur travail. [...] C'est le genre d'écrivain qui ramène à lui le lecteur après plusieurs mois, plusieurs années, comme si le lecteur avait laissé son cœur dans les livres. Il est le seul à m'avoir attrapé de la sorte[1]. »

1. Haruki Murakami, cité par Fabrice Lardreau dans « Fitzgerald et Murakami sur le rivage », *Transfuge*, *op. cit.*, p. 77.

Ainsi, avoue-t-il, Dostoïevski, Balzac et Hemingway lui sont sortis de la tête mais pas l'auteur de *Gatsby le Magnifique* qui sculpte les mots dans sa propre chair. Pour l'un des personnages du Japonais, dans son roman à grand succès *La Ballade de l'impossible*, l'influence fitzgéraldienne est si forte que les lecteurs de *Gatsby* se reconnaissent toujours, comme s'ils avaient une marque inscrite sur le front, tant ils forment une sorte de cercle d'êtres à part, le cercle de ceux qui sont conquis par l'impressionnisme d'un peintre des nuances de la lumière, sur une chevelure, une étoffe, un cuir, une peau ou une page.

Il faut laisser à Fitzgerald, passé d'une vision dionysiaque de la fête perpétuelle à une expérience douloureuse de la vie, le dernier mot sur ses contemporains. Il les aime tant, ces hommes qui ont éprouvé leurs premiers printemps en même temps que lui, les volontaires à la guerre, ceux qui sont morts déjà, ceux qui marchent dans les tempêtes de l'été de leur vie, « une génération ardente par héritage, sophistiquée de fait – et assez profondément sage[1] ». Le dernier mot sur lui-même aussi, qui travaillait pour donner grâce et mobilité à sa vie comme à celle d'un nanti, posant comme intelligence de premier ordre celle qui peut faire cohabiter deux idées contraires en une double vision : « Je veux écrire des

1. *Un livre à soi*, *op. cit.*, p. 313.

scènes qui sont effrayantes et inimitables. Je ne cherche pas à être aussi évident pour les lecteurs de mon temps que l'est Ernest, qui, comme disait Gertrude Stein, est destiné aux musées. Je suis sûr d'avoir assez d'avance pour avoir une petite immortalité[1]. » Lucidité, comme toujours, et, dans ses précieuses notes sur *Le Dernier Nabab*, une once d'estime de soi chez ce ressuscité prêt à démentir sa formule qui a fait long feu sur les autorités du siècle, celle d'Hemingway en matière de réussite, la sienne en matière d'échec. Fitzgerald a l'intuition de sa place au Parnasse : Zelda, dès 1922, ne l'avait-elle pas dessiné en archange ?

Éclats de l'immortalité

Maxwell Perkins soumet le manuscrit du *Dernier Nabab* à Wilson qui le publie en octobre 1941 dans un gros volume avec *Gatsby le Magnifique, Le Premier Mai, Un diamant gros comme le Ritz, Absolution, Le Garçon riche* et *Un dimanche de fous* qui se vend à trois mille cinq cents exemplaires. Peu après cette parution, l'écrivain Stephen Vincent Benét fait une critique du roman, chapeau bas, certain que Fitzgerald va entrer dans la légende. Belle et perspicace anticipation de la gloire pos-

1. Cité par Arthur Mizener, *The Far Side of Paradise, A Biography of Scott Fitzgerald*, Boston, Houghton Mifflin, 1951, p 292.

thume de Fitzgerald ! En effet, dès sa mort, de nombreux souvenirs, témoignages, points de vue affluent dont ceux de John Dos Passos, Glenway Wescott, John O'Hara, John Peale Bishop qui sont bientôt rassemblés par Edmund Wilson dans *The New Republic* sous le titre « À la mémoire de Scott Fitzgerald » et Scribner fait un nouveau tirage de *The Great Gatsby* en 1942. Suivent dès 1945 ses histoires, ses nouvelles, à intervalle régulier – il en a écrit cent soixante-quatre –, et sa correspondance, aussi bien aux États-Unis qu'en France : une véritable renaissance. Une lettre de Fitzgerald à Maxwell Perkins, du 1er juin 1925, s'envole à sept mille dollars chez Christie's en 1962. Elle a été écrite rue de Tilsitt, juste après une missive à Gertrude Stein, une longue lettre qui insiste sur sa fidélité à son éditeur, commente la vie littéraire américaine et donne en annexe non seulement le plan et la présentation souhaitée mais également l'argumentaire publicitaire pour son prochain ouvrage *All the Sad Young Men*, neuf histoires, soixante-quatre mille cinq cents mots, qu'il dédie à Ring et Ellis Lardner. Il explique pour finir que sept nouvelles ont trait aux jeunes gens de sa génération pris dans un moment d'humeur morose. Sa génération fait l'objet d'un beau texte de réflexions à paraître dans *Esquire* en octobre 1968, un hommage à travers la tempête.

En août 1943, Zelda revient à l'hôpital de Highland en Caroline du Nord pour la première fois, mais elle quitte à nouveau Asheville pour Montgomery en février 1944. La vie calme de recluse auprès de sa mère l'ennuie ; elle se lasse aussi de leur frugalité, puis commence un roman. Lorsqu'elle écrit à Scottie, elle lui parle de Scott : « Je pense toujours que papa était le héraut et le prophète de sa génération et pour cela il mérite qu'on se souvienne de lui car il a mis en scène la dernière période de l'après-guerre et a donné à ces jours de gala, au destin si tragique, leur véritable sens. Il mettait les résultats sportifs en tableau, il enviait les joueurs de football et les athlètes célèbres et il aimait les filles des chansons à la mode ; il adorait se gorger de voluptés en boîte à des heures bizarres et comme tu as eu beaucoup de controverses avec lui, tu sais qu'il était l'homme à la conversation la plus inépuisable et intarissable[1]. »

Les va-et-vient entre l'hôpital et la maison de sa mère se poursuivent, en 1946 puis au début de 1948, où on la traite à l'insuline et où on la transfère au dernier étage du bâtiment principal pour la garder en observation. Le 10 mars, un incendie se déclare dans les cuisines et les flammes se propagent rapidement par les conduits du monte-plats. Fumées, escaliers de secours en bois, portes verrouillées, fenêtres cadenassées, les pompiers progressent avec peine. Neuf femmes sont brûlées, dont six prisonnières du dernier étage. Zelda, qui a bientôt quarante-huit ans, est identifiée grâce à une pantoufle

1. Cité in *Zelda*, *op. cit.*, p. 487.

calcinée. Elle est inhumée auprès de Scott dans le Maryland – Scottie sait gré à la famille de sa mère d'avoir accepté cette ultime réunion de ses parents dans la tombe –, par une journée chaude et ensoleillée, le 17 mars 1948, en présence de quelques amis, dont Mrs Turnbull qui a apporté deux couronnes de pensées de La Paix, pour Scott et Zelda ensemble à jamais. Névrose de l'Amérique entière, naufrage d'une vision idéaliste pour lui, nuit de cendres pour elle. Quelques années plus tard, en 1975, ils rejoindront le cimetière de Saint Mary. Scottie a fait graver sur la pierre tombale la belle dernière phrase de *Gatsby* : « Et nous luttons ainsi, barque à contre-courant, renvoyés sans fin au passé. »

Le gros volume autour du *Dernier Nabab* ressort en 1945, année qui marque le départ d'un regain d'intérêt permanent pour Fitzgerald. Les éditions Viking publient une compilation populaire qui comprend *The Great Gatsby*, *Tender is the Night* et une sélection de nouvelles, assortie d'une introduction qui met l'accent sur son talent de nouvelliste et sa primauté de romancier. L'anthologie a été réalisée par Dorothy Parker que Fitzgerald a côtoyée à Paris comme à Hollywood. En livre de poche, à vingt-cinq cents, les éditions Bantam font paraître *The Great* Gatsby, vite suivies par les éditions New Directions. Qui plus est, les Éditions des Forces armées incluent *Gatsby* et les nouvelles d'*Un diamant gros comme le Ritz* dans leur collection, en

1945-1946, assurant une distribution gratuite de deux cent mille volumes à une nouvelle génération de lecteurs qui ne connaissent rien de Fitzgerald. Un tel saut dans un public très large permet d'envisager une véritable résurrection. Les érudits, les étudiants ne sont pas oubliés : les archives de son père sont données par Scottie à l'université de Princeton en 1950 et ce fonds non seulement compte parmi les plus riches de la littérature du XXe siècle américain mais se situe parmi les documents les plus consultés, l'œuvre étant traduite en trente-cinq langues. Les éditions Penguin, très populaires et accessibles, s'emparent à leur tour de *Gatsby* qui en est à son trente-quatrième tirage. La Grande-Bretagne s'en mêle et de 1948 à 1951 publie huit volumes. Son éditeur Scribner constate que la demande dépasse de loin celle des amis, des lettrés ou des amateurs des années vingt, le chiffre des ventes grimpe jusqu'à trente mille en 1951, cinquante mille en 1958, cent soixante-dix-sept mille en 1960, trois cent mille en 1966 et ensuite le demi-million est atteint. Un tout dernier chiffre : douze millions d'ouvrages de Fitzgerald ont été vendus dans le demi-siècle après sa mort.

Au reste, le cinéma ne s'y trompe pas. Dès les années cinquante, les plus grands noms de la mise en scène et de l'interprétation parient sur le succès de Fitzgerald. Ainsi Richard Brooks, Francis Ford Coppola, Elia Kazan vont devenir les réalisateurs des films tirés des œuvres de Fitzgerald, tandis que les stars, d'Elizabeth Taylor, Jason Robards, Robert Redford, Mia Farrow, Robert De Niro à Jeanne Moreau, Jack Nicholson, Robert Mitchum et Leonardo di Caprio, sans oublier Cate Blanchett et Brad Pitt, ont joué qui Benjamin Button, qui le grand Gatsby et son égérie, la belle Daisy. Le monde de la mode, avec des griffes comme Ralph Lauren, qui a déjà signé les costumes du film *The Great Gatsby* en 1974, s'inspire de l'univers de Scott Fitzgerald, ressuscite le vestiaire frénétique de ce monde élégant où les heureux dansent avec les damnés, où l'opulence flirte avec la tragédie. On le voit bien, les personnages des fictions tournent aussi bien sur les plateaux que dans l'esprit du public en manque d'enchantement.

Cette renaissance de Fitzgerald est un phénomène sans précédent aux États-Unis. Elle est due à son talent d'écrivain, à la légende dorée et tragique de Scott et Zelda Fitzgerald, figures historiques de l'Amérique, à sa façon de dire l'éblouissement des sens, la pétillante odeur des jonquilles, la mousseuse odeur des fleurs d'aubépine et de prunier, à sa manière de transcrire l'intensité d'une relation ou d'une démolition. L'influence sur les nouvellistes et romanciers tels que Styron, Updike ou Roth ne fait pas de doute. Salinger, qui se disait fou de Gatsby, a largement suivi les traces de Fitzgerald en commençant par publier ses nouvelles dans le *Saturday Evening Post*, *Collier's*, ou *Esquire* dès son retour de la guerre en 1919, préludes au succès de *L'Attrape-Cœurs.* Scott Fitzgerald, dont on a pu dire qu'il était l'inventeur de la « culture jeune », tant il est vrai que ses personnages marquants sont tous jeunes, apparaît comme une référence, à la fois parce qu'il a été novateur et aussi profondément américain, marqué par ses ancêtres, les pionniers, les pères. Ponctuellement, les lendemains de la Seconde Guerre mondiale ont amené une curiosité envers les lendemains de la Première, tandis que les années soixante sont en demande de style, à la fois littéraire et personnel, en attente de fièvre et de ferveur. Plus généralement, chacun fait sienne la remarque de Nick Carraway à propos de Gatsby, qui, dit-il, a perdu le vieux monde et payé un prix trop élevé pour vivre trop longtemps avec un rêve unique.

Comble de popularité, Scott Fitzgerald se retrouve dans les bandes dessinées des grands « cartoonists » du *New York Times* ou de *Mad.* Ainsi, au printemps 1951, survient le personnage de The Great Begatsby, dans la série *Li'l Abner* où le crayon d'Al Capp représente des réceptions fastueuses dites « à la Gatsby », puis, un an plus tard, il fait apparaître un chimiste qui invente un parfum rendant les hommes irrésistibles, un parfum qui sent l'argent, une fragrance qui remet en mémoire la remarque douce-amère de Gatsby à propos de Daisy et de sa voix qui est pleine d'argent, emprunt très reconnaissable pour les Américains. Quelques décennies plus tard, l'engouement demeure et, en 1990, Bill Griffith, dans sa bande dessinée Zippy fait dire à son personnage principal Griffy : « comme Scott Fitzgerald, je me sens tout à la fois enchanté et dégoûté par l'inépuisable variété de la vie », soit les propos mêmes tenus par Nick Carraway, le narrateur et voisin de Jay Gatsby. Plus universellement reconnu, voici le petit Charlie Brown du *Peanuts* de Charles Schulz, qui récite un passage de *Gatsby le Magnifique* et qui met Gatsby au rang de Moïse traversant la mer Rouge. Il n'est jusqu'à Snoopy, le chien, qui ne s'associe à l'hommage rendu à Fitzgerald, en parlant comme Gatsby « so long, old sport » (« à bientôt, mon vieux », 7 juin 1991) et qui déclare encore : « Vous êtes en faillite émotionnelle, Scott Fitzgerald était en faillite émotionnelle. Nous sommes tous en faillite émotionnelle » (*Peanuts*, 26 juin 1995). Tel raccourci affectueux à l'intérieur d'une bulle, plus d'un demi-siècle après la disparition de Fitzgerald, en dit long sur sa place au panthéon américain. Les Fitzgerald tournoient encore au cœur du film de Woody Allen, *Minuit à Paris* (2010), multipliant les rencontres d'artistes. L'on y voit Scott et Zelda, allant de soirées en fêtes, du cabaret de Bricktop aux berges de la Seine : ils boivent, ils causent, ils frayent avec le Tout-Paris nocturne des années vingt.

La France n'est pas en reste, juste réciprocité pour ce lecteur de littérature française, qui aime Flaubert et

Radiguet, Zola, Stendhal et Cocteau, qui lit les poètes Mallarmé, Villon, Rimbaud et Verlaine, qui mentionne Proust, Maurois, Anatole France, de même que Renan et Rousseau dans sa correspondance. Pourquoi ne pas prendre un verre aujourd'hui au bar Fitzgerald de l'hôtel cinq étoiles Belles Rives, à Juan-les-Pins ? En effet, la Villa Saint-Louis, lieu de résidence de Scott et Zelda de mai 1926 jusqu'à la fin de l'année, a été transformée en hôtel de luxe et sa propriétaire, Marianne Estène-Chauvin, a créé en 2011 l'académie Scott Fitzgerald et, dans un même élan, le prix Scott Fitzgerald qui couronne l'auteur d'une œuvre originale reflétant l'élégance, l'esprit et le goût du style de l'écrivain devenu, en quelque sorte, saint patron des lieux et de leur art de vivre. Deux romanciers américains en ont été les lauréats, Jonathan Dee, pour *Les Privilèges* (*The Privileges*), en juin 2011, et Amor Towles, en juin 2012, pour *Les Règles du Jeu* (*Rules of Civility*). Le premier retrace le parcours d'un couple dont la beauté, la jeunesse et l'insolente réussite, étourdie d'argent et de désir, flambent au bûcher des vanités à l'aube du XXIe siècle, tandis que le second ressuscite le New York des années trente, le jazz, l'élégance, le pouvoir qui tournoient et se noient dans le martini-gin. Deux écrivains new-yorkais, qui ont rencontré un vif succès aux États-Unis, l'un enseigne à l'université Columbia, l'autre fait une brillante carrière dans la finance à Wall Street, après des études à Yale. Ainsi la référence aux élites de l'Ivy League, qui compte Princeton en son sein, et le monde de l'ambition et de l'argent trouvent-ils à nouveau leurs reflets dorés chez les successeurs de Scott Fitzgerald dont ils ont su capter l'aura. Pour le style et les ineffables mystères, Scott reste inimitable.

Il faut aussi compter avec d'autres métamorphoses, si bien que le public français, en 2012, se voit offrir une cinquième traduction de *Gatsby le Magnifique*, pour célébrer les quarante ans d'une collection à grand prestige. Qui plus est, le même éditeur, Gallimard, a sorti en janvier 2013 une bande dessinée, *Gatsby le Magnifique*, pour la jeunesse[1]. Signes qui ne trompent pas sur la tendresse mélancolique vouée à ce chef-d'œuvre écorché de la génération perdue, à ce halo palpitant et enchanté. Une tendresse qui mêle dans une seule étreinte auteur et personnage, Gatsby et Fitzgerald, excentriques, possédés par l'intensité du monde des crépuscules et du bel aujourd'hui, et qui tous deux mourront d'avoir trop longtemps vécu prisonniers d'une seule lumière sur la rive.

Au-delà des périodes, reste le diamant Fitzgerald, l'écriture de Scott, poétique, délicate, comme au-dessus du sol, en état de lévitation enchantée, selon le mot de

1. *Gatsby le Magnifique*, scénario Benjamin Bachelier, Stéphane Melchior-Durand, dessin Benjamin Bachelier ; Gallimard Jeuneusse, coll. « Fétiche ».

Zelda en 1919 lors de leur première rencontre, reste la « sorcellerie » de ses récits. Demeurent sa prose envoûtée, ses instants de pure magie, de finesse sensuelle, sa sensibilité élégante aux promesses de la vie. Cette vie qu'il a vécue comme un banquet, comme une table ouverte, avec les fritures et les gaufres du Middle West, les beignets et les laits maltés sur le campus de Princeton, les repas au Castello dei Cesari, chez Foyot et dans les meilleurs restaurants de France et d'Italie. Et dans son verre, la bière des étudiants, les clairets et bourgognes, les champagnes et les Château-Yquem, le scotch de la Prohibition, le gin, l'eau-de-vie de l'Alabama et les jus de fruits des derniers temps. Une somme magnifique à la manière d'une maison d'écrivain, grosse d'une cave encombrée de vieilles machines à écrire, de toiles d'araignées et d'un amour fraîchement enterré, d'une salle qui donne sur une pelouse où des garçons jouent au football, avec une alcôve et les dernières histoires en cours de frappe, d'une chambre à l'étage pour des nuits où le sommeil est rare et, encore au-dessus, d'un grenier de roman victorien bourré de programmes de ballet, de petites revues universitaires, de classeurs gonflés de lettres anciennes, de revues, de piles de guides et de cartes des lointains voyages, de photos sémillantes, de coupures de journaux, la vraie bibliothèque d'une vie. Tout en haut, la tourelle, la tour de guet, recluse et silencieuse, une coupole à soi balayée par les bourrasques, hantée par les scories d'un rêve.

Bibliographie

FITZGERALD EN PLÉIADE

ROMANS, NOUVELLES ET RÉCITS, *tome I*, 2012, trad. par Marc Amfreville, Véronique Béghain, Antoine Cazé, Philippe Jaworski et Marie-Claire Pasquier. Édition publiée sous la direction de Philippe Jaworski. Collection « Bibliothèque de la Pléiade » (n° 581), Gallimard.

Cette édition propose tous les romans publiés du vivant de Fitzgerald, à quoi vient s'ajouter *Le Dernier Nabab*, « roman inachevé », dit-on généralement, alors qu'il s'agit plutôt d'un chantier littéraire. Le texte est ici retraduit sous le titre figurant sur le dactylogramme laissé par Fitzgerald : *Stahr. A Romance*, et il est suivi de documents permettant de mieux cerner le projet dont il est le vestige. Fitzgerald a également publié quatre recueils de nouvelles – auxquels le public français n'a jamais eu véritablement accès : *Garçonnes et philosophes*, *Contes de l'âge du jazz*, *Tous les jeunes gens tristes*, *Quand sonne la diane*. S'ajoutent à ces recueils les *Autres Histoires de Basil et de Josephine*, et les *Histoires de Pat Hobby*.

ROMANS, NOUVELLES ET RÉCITS, *tome II*, 2012, trad. par Marc Chénetier, Agnès Derail-Imbert, Philippe Jaworski, Cécile Roudeau et Christine Savinel. Édition publiée sous la direction de Philippe Jaworski. Collection « Bibliothèque de la Pléiade » (n° 582), Gallimard.

Figure au tome II, sous l'intitulé *Récits*, un choix d'articles ou d'« essais personnels » (à caractère autobiographique) publiés dans divers périodiques entre 1924 et 1939 et jamais réunis par Fitzgerald. C'est dans cette section qu'on lira la célèbre « Fêlure », parue dans *Esquire* en 1936 : l'aveu, par l'écrivain fatigué et amer, de sa dépression.

L'éditeur de ces deux volumes respectivement de 1700 et 1800 pages, rappelle en place de note explicative « que la première édition française respectant les choix éditoriaux de Fitzgerald paraisse près de trois quarts de siècle après sa mort a de quoi surprendre. C'est pourtant explicable. Les contemporains de l'écrivain n'ont jamais vraiment su que faire ni que penser de son œuvre, et les clichés qu'ils ont répandus (peintre habile mais superficiel, "inventeur" d'une génération, etc.) ont eu la vie dure. Depuis, ces jugements ont été révisés à l'occasion de réévaluations successives, mais "le mythe Fitzgerald" (élaboré avec la complicité de l'intéressé) continue, dans une large mesure, à faire écran. Sans doute disposons-nous à présent de la distance nécessaire pour entreprendre de dégager la littérature de Scott Fitzgerald de ce qui la masque. Telle est l'ambition dont ces deux volumes voudraient être les instruments ».

ROMANS

Gatsby le Magnifique (*The Great Gatsby*, 1925), trad. Victor Llona, Éd. Kra, 1926 ; rééd. Éd. du Sagittaire, 1946, préface d'Édouard Roditi ; rééd. Club français du livre, 1952, préface d'André Bay ; rééd. Grasset, 1952, préface d'Antoine Blondin, Bernard Frank, Jean-François Revel, et rééd. le Livre de poche, 1962.

Éd. l'Âge d'Homme, 1991, trad. Michel Vieil.

Éd. Grasset, 1996, trad. Jacques Tournier.

Éd. POL, 2011, trad. Julie Wolkenstein.

Éd. Gallimard-Folio, 2012, trad. Philippe Jaworski.

Tendre est la nuit (*Tender is the Night*, 1934), Stock, 1934, trad. Marguerite Chevalley, préface d'André Bay.

Éd. Belfond, 1985, trad. Jacques Tournier et rééd. le Livre de poche, 1990.

Le Dernier Nabab (*The Last Tycoon*, 1941), trad. André Michel, Gallimard, 1952.

Gallimard, 1976, trad. Suzanne Mayoux.

L'Envers du paradis (*This Side of Paradise*, 1920), trad. Suzanne Mayoux, Gallimard, 1964.

Les Heureux et les Damnés (*The Beautiful and Damned*, 1922), trad. Louise Servicen, Gallimard, 1964.

NOUVELLES, ESSAIS

Un diamant gros comme le Ritz (*Short Stories*), Laffont, 1963, trad. Marie-Pierre Castelnau et Bernard Willerval, préface de Malcolm Cowley ; rééd. Laffont, « Bibliothèque Pavillons », 2005.

La Fêlure (*The Crack-up*), Gallimard, 1963, trad. Suzanne Mayoux et Dominique Aury, préface de Roger Grenier.

Histoires de Pat Hobby et autres nouvelles (*« Pat Hobby » Stories*), Laffont, 1965, trad. Marie-Pierre Castelnau et Bernard Willerval, préface de John Dos Passos.

Les Enfants du jazz (*Tales of the Jazz Age*), Gallimard, 1967, trad. Suzanne Mayoux.

Éclats du Paradis (*Bits of Paradise*, 1973), Julliard, 1977, trad. Jean Queval (recueil réunissant onze nouvelles de Scott Fitzgerald et dix de Zelda Fitzgerald).

Love Boat, Belfond, 1983, trad. Jacques Tournier.

Entre Trois et Quatre, Belfond, 1986, trad. Jacques Tournier.

Fleurs interdites, Belfond, 1988, trad. Nicole Tisserand.

Fragments du Paradis, Belfond, 1991, trad. Jacques Tournier (avec cinq nouvelles inédites).

De l'écriture. Essais, trad. Jacques Tournier, préface de Franz-Olivier Giesbert, Éd. Complexe, 1991.

La Ballade du rossignol roulant (*The Cruise of the Rolling Junk*, 1923), Belfond, 1993, trad. Jacques Tournier.

L'Effondrement (*The Crack-up*), trad. Élise Argaud, Rivages Poche, 2011.

DIVERS

Le Légume (*The Vegetable*). Pièce traduite et adaptée par Jean-Loup Abadie, Laffont, 1972 ; rééd. Les Belles Lettres, 1996.

Un légume (*The Vegetable*). Trad. C. Dantzig, Grasset, 2010, coll. « Les Cahiers rouges ».

Mille et un navires. Poèmes traduits par Patrick Mersant, Les Belles Lettres, 1996.

Lettres de F. Scott Fitzgerald, trad. J. et L. Bréant, Gallimard, 1965.

Lettres à Zelda et autres correspondances, trad. Tanguy Kenec'hdu, Gallimard, 1985.

Scott et Scottie, correspondance 1936-1940 ; Bernard Pasciuto Éditeur, 2008.

Fitzgerald père et fille, Lots of love, trad. Romain Sardou, le Livre de poche, 2010.

BIOGRAPHIES

Matthew J. Bruccoli, *Scott Fitzgerald, sa vie, sa gloire, sa chute*, trad. Solange Schnall et Christian Mégret, Éd. Vertiges, 1985. Rééd. par Henri Marcel, *F. Scott Fitzgerald, une certaine grandeur épique*, La Table Ronde, 1994.

Pietro Citati, *La Mort du papillon : Zelda et Francis Scott Fitzgerald*, Gallimard, 2007.

Roger Grenier, *Trois heures du matin, Scott Fitzgerald*, Gallimard, 1995.

André Le Vot, *Scott Fitzgerald*, Julliard, 1979.

Nancy Milford, *Zelda* (*Zelda*, New York, Harper and Row, 1970), trad. Monique Triomphe, Stock, 1973.

Kendall Taylor, *Zelda et Scott Fitzgerald : Les années 20 jusqu'à la folie*, Autrement, 2002.

Calvin Tomkins, *Tendre était la vie*, Éd. Mazarine, 1983.
Andrew Turnbull, *Scott Fitzgerald le Magnifique* (Scott Fitzgerald, New York, Scribner's, 1960), trad. Marguerite Mathieu, Laffont, 1964.

ŒUVRES INSPIRÉES PAR SA VIE

Gilles Leroy, *Alabama Song*, Gallimard-Folio, 2007.
Agnès Michaux, *Zelda*, Flammarion, 2006, rééd.
Budd Schulberg, *Le Désenchanté*, trad. Georges Belmont, Payot-Rivages, 1992.
Jacques Tournier, *Zelda*, Points, 2010.

SITES

http://www.fscottfitzgeraldsociety.org
http://www.sc.edu/fitzgerald/index.htlm

Filmographie

Films tirés d'œuvres de Francis Scott Fitzgerald (à l'exclusion de tous les films tournés pour la télévision).

The Chorus Girl's Romance, 1920
Réalisateur : William C. Dowlan.
Scénario : Percy Heath d'après la nouvelle de F. Scott Fitzgerald, *Head and Shoulders*.
Interprétation : Viola Dana, Gareth Hughes et Phil Ainsworth.

The Husband Hunter, 1920
Réalisateur : Howard M. Mitchell.
Scénario : Joseph F. Poland d'après la nouvelle de F. Scott Fitzgerald, *Myra meets his family*.
Interprétation : Eileen Percy, Emory Johnson et Jane Miller.

The Off-Shore Pirate, 1921

Réalisateur : Dallas M. Fitzgerald.

Scénario : Waldemar Young d'après la nouvelle de F. Scott Fitzgerald.

Interprétation : Viola Dana, Jack Mulhall et Edward Jobson.

The Beautiful and Damned, 1922

Réalisateur : William A. Seiter.

Scénario : Olga Printzlau d'après la nouvelle de F. Scott Fitzgerald.

Interprétation : Clarence Burton, Louise Fazenda et Kenneth Harlan.

Grit, 1924

Réalisateur : Frank Tuttle.

Scénario : James Ashmore Creelman, d'après un texte de F. Scott Fitzgerald.

Interprétation : Glenn Hunter, Helenka Adamowska et Roland Young.

The Great Gatsby, 1926

Réalisateur : Herbert Brenon.

Scénario : Elizabeth Meehan (adaptation), Becky Gardiner (scénario), d'après le roman de F. Scott Fitzgerald.

Interprétation : Warner Baxter, Lois Wilson et Neil Hamilton.

Pusher-in-the-Face, 1929
Réalisateur : Robert Florey.
Scénario : F. Scott Fitzgerald, d'après l'histoire courte éponyme.
Interprétation : Lester Allen, Estelle Taylor et Lillian Walker.

Le Prix du silence (*The Great Gatsby*), 1949
Réalisateur : Elliott Nugent.
Scénario : Owen Davis, Cyril Hume et Richard Maibaum, d'après le roman de F. Scott Fitzgerald.
Interprétation : Alan Ladd, Betty Field et Macdonald Carey.

La dernière fois que j'ai vu Paris
(*The Last Time I Saw Paris*), 1954
Réalisateur : Richard Brooks.
Scénario : Julius J. Epstein, Philip G. Epstein et Richard Brooks, d'après la nouvelle de F. Scott Fitzgerald *Babylon revisited.*
Interprétation : Elizabeth Taylor, Van Johnson, Donna Reed et Walter Pidgeon.

Tendre est la nuit (*Tender Is the Night*), 1962
Réalisateur : Henry King.
Scénario : Ivan Moffat, d'après le roman de F. Scott Fitzgerald.
Interprétation : Jennifer Jones, Jason Robards et Joan Fontaine.

Gatsby le Magnifique (*The Great Gatsby*), 1974
Réalisateur : Jack Clayton
Scénario : Francis Ford Coppola, d'après le roman de F. Scott Fitzgerald.
Interprétation : Robert Redford, Mia Farrow et Bruce Dern.

Le Dernier Nabab (*The Last Tycoon*), 1976
Réalisateur : Elia Kazan.
Scénario : Harold Pinter, d'après le roman de F. Scott Fitzgerald.
Interprétation : Robert De Niro, Tony Curtis, Robert Mitchum, Jeanne Moreau et Jack Nicholson.

L'Étrange Histoire de Benjamin Button (*The Curious Case of Benjamin Button),* 2008
Réalisateur : David Fincher.
Scénario : Eric Roth et Robin Swicord, d'après la nouvelle de F. Scott Fitzgerald.
Interprétation : Brad Pitt, Cate Blanchett, Tilda Swinton et Julia Ormond.

The Great Gatsby, 2012
Réalisateur : Baz Luhrmann.
Scénario : Baz Luhrmann et Craig Pearce, d'après le roman de F. Scott Fitzgerald.
Interprétation : Leonardo DiCaprio, Carey Mulligan and Joel Edgerton

Film dont le scénario fut écrit par Francis Scott Fitzgerald (à l'exclusion des scénarios auxquels il a participé et pour lesquels il ne fut pas crédité)

Trois camarades (*Three Comrades*), 1938

Réalisateur : Frank Borzage.

Scénario : F. Scott Fitzgerald et Edward E. Paramore Jr, d'après le roman de Erich Maria Remarque.

Interprétation : Robert Taylor, Margaret Sullavan et Franchot Tone.

Index

Anderson, Sherwood 87, 104, 123

Barney, Natalie 138, 168
Beach, Sylvia 122, 168
Biggs, John 55, 158, 172, 283
Bishop, John Peale 41-42, 52, 55, 61, 70, 81, 87, 118, 125, 134-135, 168, 215, 223, 233, 287
Byron, Lord 28, 125, 142, 261

Capote, Truman 149-150, 24?, 257
Chamson, André 168-169
Chaplin, Charlie 46, 94, 238, 241
Cocteau, Jean 118, 129, 138, 147, 187, 189, 294
Conrad, Joseph 91, 130, 170

Donahoe, Sap 33, 38, 46
Dos Passos, John 12, 101, 104, 121, 128, 142, 159, 170, 187, 224, 266, 287, 300
Dreiser, Theodore 75, 87, 170

Eliot, T.S. 75, 135, 203, 238

Faulkner, William 187, 233, 257-258, 266
Fay, Sigourney Webster 31, 33, 57-59, 61, 70
Fitzgerald, Annabel 19, 27, 46-48, 50-51, 81, 152, 239, 248
Fitzgerald, Edward 11-12, 14-15, 18, 21, 23-24, 27, 29, 54, 95, 173, 194
Fitzgerald, Mary, dite Mollie 11-12, 14-16, 18, 21-24, 28-29, 36-37, 44, 50, 54, 59-60, 95, 107, 190, 193, 243, 247-248
Fitzgerald, Scottie puis Frances, voir aussi Lanahan, Samuel J 97

Fitzgerald, Zelda 65
Flynn, Lefty 232-233
Flynn, Nora 232-233, 237

Galsworthy, John 86, 91
Gauss, Christian 58, 61, 81, 144, 223
Gershwin, George 25, 123, 152, 238
Gish, Lilian 12, 98, 156, 219
Goldwyn, Samuel 108
Graham, Sheilah 255-256, 260, 262, 266, 273, 282, 284
Griffith, David 46, 156, 219, 241, 293

Hemingway, Ernest 25, 116, 121, 123, 138-139, 141, 151, 153-154, 161, 169-170, 172-173, 178, 181-182, 184, 187. 192, 207-208, 223, 226, 246, 249-250, 252, 255-257, 266, 273, 277, 285-286
Hemingway, Hadley 121, 151, 227
Hemingway, John 151
Hemingway, Pauline 121, 172, 181, 227

James, Henry 54, 86, 101, 135, 150, 218
Josanne, Édouard 127-128, 199, 221

Keats, John 55, 70, 206, 222, 229, 261
King, Ginevra 44-46, 49, 57

Lanahan, Eleanor 284
Lanahan, Samuel J. 283
Lardner, Ring 108, 117, 128, 177, 184, 221, 287
Léger, Fernand 120, 145, 170. 215
Leslie, Shane 31, 58, 61, 70, 91

McLeish, Henry 121, 151, 223, 266
McQuillan, Mary Voir Fitzgerald, Mary, dite Mollie 14
Mencken, Henry Louis 75, 83, 88, 109, 135, 170, 223
Moran, Lois 157-158, 160, 199, 221
Murakami, Haruki 284
Murphy, Gerald 119-120, 135, 143, 151, 154, 170-171, 183, 196, 217, 219, 226-227, 232, 241, 269, 271, 283
Murphy, Sara 120, 143, 151, 171, 183, 196, 217, 219, 226-227, 232, 241, 269, 283

Ober, Ann 234
Ober, Harold 77, 98, 100, 102, 160, 234, 236-237, 250, 253, 268-269, 271, 283
O'Hara, John 224, 287
O'Neill, Eugene 55, 75, 98-99, 116

Parker, Dorothy 159, 254, 289
Perkins, Maxwell 69, 75-76, 78, 86-87, 129-130, 133, 151, 154, 158-159, 161, 167, 171, 182, 187, 194, 199, 208, 226, 233, 247, 249-251, 268-269, 278, 281, 283, 286-287
Picasso, Pablo 121-122, 126, 215

Reynolds, Paul Revere 75, 86
Rimbaud, Arthur 55, 152, 154, 294

Sayre, Anthony 212
Sayre, Anthony Dickinson 65
Sayre, Clotilde 67, 80
Sayre, Marjorie 67, 79
Sayre, Rosalind 67, 263
Scribner, Charles 87, 101
Shelley, Percy 125, 206, 261
Sollers, Philippe 174
Stein, Gertrude 121-123, 135, 144, 162, 168, 170, 201, 210, 286-287
Stein, Leo 122
Stein, Michael 122
Steinbeck, John 170, 187, 266
Stevenson, Robert Louis 86, 101, 209

Thalberg, Irving 198, 271, 277
Toklas, Alice B. 162, 168

Verlaine, Paul 29, 55, 132, 274, 294

Wharton, Edith 86, 101, 125, 138, 170
Wilson, Edmund 52-53, 58, 76, 81, 87, 100, 126, 166, 205, 223, 286-287
Wolfe, Thomas 170, 195, 203, 224, 233, 254

Ziegfeld, Florenz 80, 108

Table

Avant de croquer le diamant 9

L'égotiste romantique 11

Saint Paul, l'enfance pieuse et romanesque 11
Premiers écrits à l'Académie et
au Club dramatique 26
Princetoniens en goguette 37
Approches de la guerre 57

Le tourbillon 65

La beauté du Sud, « Reine de l'Alabama » 65
Mirages de New York 71
La vie comme anticipation d'un film de
Fred Astaire et Ginger Rogers 79
Jazz, gin et diamants 90
Sur la baie de Great Neck,
le prophète de sa génération 104

Fitzgerald, romancier de la Prohibition et des plaisirs 115
Au diapason des Américains de Paris 118

Le premier nabab 125

Baigneurs sur la plage de la Garoupe 125
Tendre est Paris 134
Le carnaval doré d'une Riviera de riches exilés.. 150
Sous les palmiers d'Hollywood 155
L'ermitage d'Ellerslie 158
La tentation du Ballet russe 168

La fêlure 181

Nouvelles pérégrinations 181
Retour en Amérique 197
La Paix 201
Bientôt, enfin *La Nuit* 213

L'enchanteur désenchanté 231

L'épistolier fidèle 235
Hollywood, dernière séquence 253
Éclats de l'immortalité 286

Bibliographie 297
Filmographie 303
Index 309

DU MÊME AUTEUR

Tennessee Williams
Gallimard, Folio biographies, 2010

Ce que je sais d'Arthur Miller
François Bourin, 2012

Composition IGS-CP
Impression CPI Bussière en avril 2013
à Saint-Amand-Montrond (Cher)
Éditions Albin Michel
22, rue Huyghens, 75014 Paris
www.albin-michel.fr
ISBN : 978-2-226-24849-7
N° d'édition : 19971/01. – N° d'impression : 2001890.
Dépôt légal : mai 2013.
Imprimé en France.